Manen, mythen, mannen

Manjit Kaur

Manen, mythen, mannen

Roman

Vertaald door Christine Elion

Uitgeverij Fagel, Amsterdam

© Manjit Kaur / Uitgeverij Fagel, 2003
© Nederlandse vertaling Christine Elion

Omslagontwerp Bram van Baal
Typografie Hannie Pijnappels

ISBN 90 5914 042 7
NUR 301

fagel@xs4all.nl

De boeken van Uitgeverij Fagel worden in België verspreid
door Van Halewyck, Leuven.

Inhoud

1 Die barbaarse westerse vrouwen 7

2 Lichtjes en lagerbier 22

3 Kama Sutra 35

4 Saltford Manor 43

5 Een lange nacht 54

6 Dromen 65

7 Midzomerfeest 77

8 Meisjes 89

9 Offer aan de maangoden 102

10 De vriend van de dichter 112

11 Paniek 121

12 Alles over sikhs 128

13 Picknick aan zee 136

14 Een klein flesje rode vloeistof 148

15 Vlucht 161

16 De vuurtoren 168

I

Die barbaarse westerse vrouwen

Mijn ogen stonden vol tranen toen ik de deur achter me dichttrok. Dit was het dan, dacht ik terwijl ik het slot in de sleuf voelde glijden. Hier kom ik nooit weer, zolang ik leef zal ik nooit meer voor deze deur staan.

De lange zei me dat ze de tassen zou halen en dat ik in de auto moest stappen.

Ik kon even niet op haar naam komen, ik glimlachte flauwtjes en knikte.

Arie viel slaperig in mijn armen. Vinny's kleine oogjes glinsterden van opwinding vanaf de achterbank van de krakkemikkige oude Volkswagen, ze zwaaide met de arm van haar teddybeer, met haar lippen geluidloos 'dáág' zeggend. Wat ik deed was goed, dat wist ik, maar mijn benen voelden als lood.

Nu of nooit, zei ik tegen mezelf, wegwezen.

Een paar minuten later reden we de straat uit.

Het nieuwe blijf-van-mijn-lijfhuis was enorm. Officieel zou het pas volgende maand opengaan, legde Jacky me uit, terwijl Nicky, degene die ons had gereden, oploskoffie maakte. Maar het grootste deel van de renovatie was klaar, en het enige wat echt nog moest worden gedaan was het leggen van tapijt en het installeren van wasmachines en tv's 'en zo'. Het oude blijf-van-mijn-lijfhuis was een vervallen gebeuren geweest met twee slaapkamers, midden in de oude, krotterige buurten van de stad.

Vijf jaar lang had een groep 'linkse krijswijven', zoals de lokale kranten hen noemden, actie gevoerd, met als gevolg dit schitterende monument voor de vrouwenbeweging, waar ik mij nu dus in bevond. Met een beetje goede wil was er plek voor zeven tot tien vrouwen, afhankelijk van hoeveel kinderen ze hadden.

De actie was een groot succes.

Eind jaren zeventig ging het even bijzonder goed met het zuidwesten van Engeland, maar een mevrouw die Thatcher heette had ergens in zitten snijden, en daarom hadden deze vrouwen de commercie om hulp gevraagd.

De feministes Nicky en Jackie waren heel erg ondernemend. Terwijl ik luisterde naar hun gesprek, vroeg ik me af wat het er toe deed of die krijswijven links- of rechtshandig waren en wat commercie eigenlijk was. Gewapend met een zaklamp lieten ze me het pand zien: de verlichting stond op de lijst met en-zo's die nog moesten worden geregeld.

Alles was nieuw. Een stichting had het huis gekocht, de gemeente had de renovatie betaald en iedereen die ook maar iets betekende had aan de inrichting bijgedragen. Voornamelijk afgeschreven spullen, vertrouwde Nicky me toe. Doe-het-zelf-centra, meubelwinkels, megastores, warenhuizen, supermarkten, om maar niet te spreken van collectes, liefdadigheidsevenementen, kerken en plaatselijke organisaties voor het goede doel, een eindeloze lijst.

Goede doelen waren in trek, verzekerde Jackie me, en mishandelde vrouwen deden het goed de laatste tijd.

Het was een half uur na middernacht en allebei de kinderen waren oververmoeid en klaarwakker. We aten geroosterde boterhammen, dronken nog wat koffie en maakten de bedden op voor de nacht. Jackie had de volgende morgen dagdienst, dus zij zou blijven slapen. Nicky zou de volgende avond terugkomen om het over te nemen.

Toen de meisjes eenmaal hun plekje hadden gevonden,

liet ik een warm bad voor mezelf vollopen. Jackie klopte me door de badkamerdeur welterusten toe. Toen ik me het water in liet glijden, begonnen de tranen eindelijk voluit te stromen.

Die eerste nacht en nog vele weken daarna, huilde ik vreselijk veel. Niet alleen omdat ik mijn man, mijn gezin en het sikhse geloof achter me had gelaten, maar ook omdat alles zo ontzettend anders was dan ik me had voorgesteld. Een complete instorting was de enige reactie die ik op kon brengen.

Ik was negentien.

Een Brits-Aziatische, opgevoed in Midden-Engeland door onwrikbaar strenggelovige ouders.

Uitgehuwelijkt op haar zestiende.

Moeder van twee kinderen op haar achttiende.

En nu hopeloos in de war.

Mijn echtgenoot was een uiterst geschikte partij, vonden mijn broers en mijn vader.

Hij was micro-elektronisch ingenieur en werkte voor British Aerospace.

Een goede vangst.

Schitterend toekomstperspectief.

Dat hij een drugsgebruiker was en een rokkenjager, dat was in zijn geval niet meer dan normaal, hij zou waarschijnlijk snel in de hogere belastingtarieven vallen.

De vrouwen en de drugs konden me niet zo veel schelen, want die hielden hem een beetje van de straat als hij niet aan het werk was, maar steeds vaker kwam hij thuis op de avonden dat zijn vriendin zich verveelde of geen zin had.

Toen hij bij wijze van tijdverdrijf ook nog eens hardhandig tegen me werd, begon mijn vertrouwen in de keuze van mijn familie te wankelen. Ik deed mijn beklag bij de koppelaarster, die alleen maar mijn tante bleek te worden genoemd omdat ze toevallig in hetzelfde dorp in India had ge-

9

woond als mijn moeder.

Ze beweerde dat ik juist bofte omdat hij mij niet dumpte.

Nadat ik mijn derde kind had verloren wegens een buitenbaarmoederlijke zwangerschap en te horen had gekregen dat mijn eileiders verstopt zaten, begreep ik ook wel dat mijn schoot geen vrucht meer zou dragen. De sikhs zijn van origine niet polygaam, en derhalve had hij het volste recht gehad om mij gewoon terug te sturen naar mijn ouders; ik was toch immers niet bij machte gebleken hem een zoon te baren? Maar nee, dit vriendelijke en attente wezen had er bij zijn tweede huwelijk zelfs op gestaan dat ik een eigen huis kreeg. Hij zou zelfs zo nu en dan bij mij komen slapen, zodat ik me niet buitengesloten hoefde te voelen.

Hoe vreselijk aardig van hem.

Het feit dat niemand me over dit tweede huwelijk had ingelicht, leek er niets toe te doen. Toen ik vervolgens uitlegde dat het biologisch gezien de vader is die het geslacht van zijn kind bepaalt, kreeg ik weer zo'n blik van o, dus je hebt naar de spreekbuis van de verderfelijke Westerse moraal zitten kijken: de zondekist.

Volgens de koppelaarster mocht ik de hemel op mijn blote knietjes danken dat mijn man het gezicht van onze familie had gered – wat zoiets dan ook waard moge wezen. Zijn klappen waren waarschijnlijk een teken van genegenheid. De frustratie werd hem gewoon te veel, en een vrouw moest zich vereerd voelen door iedere bijdrage die ze kon leveren, hoe klein ook. Welnu, hoe zal ik het zeggen, ik voelde me dus niet echt vereerd met mijn rol als boksbal.

Ik moet wel een verdomd belabberde echtgenote zijn geweest.

De dokter die me een paar keer oplapte na wel bijzonder tedere blijken van mijn mans genegenheid, zei dat ik een van de grootste pechvogels was die ze ooit had ontmoet: als ik tegen nog meer van die moeilijk verklaarbare pech opliep, zou ik daar dan misschien met iemand over willen praten? Ze gaf mij het nummer van het blijf-van-mijn-lijfhuis en drukte mij op het hart dat de vrouwen daar geheimhoudingsplicht hadden en dat ik bij hen veilig zou zijn.

Vier martelende maanden hield ik mij met dat telefoonnummer staande. De klappen bleven komen, maar op de een of andere manier kon ik mezelf er niet toe zetten het nummer te draaien; het waren namelijk Westerse vrouwen.

Mijn hele leven had ik moeten horen hoe beneden-barbaars de moraal van de Westerlingen was, vooral die van de vrouwen. Ze neukten met wie of wat ze maar wilden en gaven hun baby's weg. Ze dachten dat vrouwen intelligent genoeg waren om gelijk te zijn aan de man. Sommigen geloofden niet eens in magie of in god.

Een wereld zonder wonderen of magie?

Gesteld dat ze me konden helpen weg te komen, waar zou ik dan naartoe moeten en hoe kon ik in leven blijven? Geld had ik niet, en hoewel ik wist dat er wel vrouwen waren die werkten, had ik dat zelf nog nooit gedaan. Ik had mijn school niet eens afgemaakt. Na de derde klas zeiden ze tegen de inspecteur dat ik in India was om mijn opleiding af te ronden.

Vanaf mijn vijftiende verjaardag speelde mijn leven zich voornamelijk in huis af en in de achtertuin. Als ik naar buiten moest, naar de kerk of naar het huis van andere leden van de gemeenschap voor een geboorte, een sterfgeval of een huwelijk, werd ik in de auto gebracht, net als de andere jonge Aziatische vrouwen. In onze gemeenschap mochten alleen hele jonge of hele oude vrouwen zonder begeleiding de straat op. Op die leeftijd hadden ze lichaamsbeweging nodig en kreeg je er geen problemen mee; ze waren niet mooi of interessant voor de mannenmaatschappij. Het was een wonder dat ik had leren lezen en schrijven.

Uiteindelijk belde ik toch het blijf-van-mijn-lijfhuis, en

niet omdat hij me weer eens had geslagen, nee, ik had hem geslagen.

Het is echt waar, ik sloeg hem, of beter gezegd, ik sloeg terug.

Hij stond voor de tafel bij het raam te kijken naar grafieken op overtrekpapier, die hij had meegenomen van zijn werk. Hij stond tegen me te monologeren zoals altijd wanneer hij aan het werk was. Als hij met een ingewikkeld probleem bezig was, dan kon hij beter nadenken als hij daar hardop over praatte en hoewel ik in het algemeen geen idee had waar hij het over had, kon ik ongelooflijk goed op de juiste momenten 'hmm' en 'ja' te zeggen. Hij vond het vaak leuk om mij rare dingen te vertellen waarvan hij dan zei dat het staatsgeheim was.

Of ik wel wist dat zelfs de motoren van Concordes een *derate* hebben?

Fffjoeoe, floot ik dan en ik schudde mijn hoofd.

Ook al was ik zo dom als het achtereind van een varken, zei hij op een keer, ik kon toch maar verdomd goed luisteren, en hij aaide me over m'n bol. Dat was het grootste betoon van oprechte genegenheid waartoe hij ooit is gekomen. Hij was net bezig zijn voornaamste problemen met automatische warmtesensoren te bespreken, toen ik zo stom was hem te onderbreken voor een vraag.

Waar je automatische systemen voor nodig had, als er toch een piloot in het vliegtuig zat?

Even viel zijn mond open van stomme verbazing, vervolgens keek hij naar mij en lachte.

Weet je, snoof hij, soms is het wel eens jammer dat je een meisje bent, dat was bijna een slimme vraag.

Vervolgens legde hij uit dat deze uitdraaien niet voor vliegtuigen waren, maar voor raketten.

Mijn gezicht kleurde langzaam rood.

Toen kwam de klap.

Bommen, bedoelde hij.

Ik geloofde mijn oren niet.

Hier stond de man met wie ik twee kinderen had, en hij hielp bij het maken van bommen om andermans kinderen te vermoorden.

Alles in me begon te krijsen. Wat was hij voor man? Waarom ging hij naar de kerk? Waarom had gods toorn hem niet neergesabeld omdat hij vernietigende wapens maakte? Waarom getroostte hij zich de moeite van een tweede huwelijk om zonen te krijgen, als hij hielp bij de vervaardiging van dingen die de zonen van anderen moesten vermoorden?

Wat er door me heen ging, is moeilijk te beschrijven. Op de zondekist had ik programma's gezien over kernwapens, maar dat was de buitenwereld, en daarmee kon ik leven omdat zij het waren, de Westerlingen.

Dit was anders, dit was mijn wereld, dit was mijn eigen man in mijn eigen woonkamer.

Hij bleef me maar uitlachen. Kennelijk betaalde de afdeling Geleide Wapens van British Aerospace al twee jaar voor onze levensstijl.

Ik raakte buiten mezelf en pakte de uitdraaien vast. Hij greep me bij mijn armen. Het overtrekpapier was sterk en wat ik ook probeerde, die vervloekte dingen wilden maar niet scheuren, dus maakte ik er een prop van. Toen voelde ik de eerste klap in mijn gezicht.

Ik wankelde achterover richting muur, en doordat hij inmiddels hemel en aarde bij elkaar stond te schelden, hoorden we niet hoe de deur van de woonkamer openging. Toen hij zijn vuist hief voor een tweede klap, stond ik als vastgenageld tussen de muur en de open haard, ik wist dat ik nergens naartoe kon. Ik hief mijn handen omhoog om mijn gezicht te bedekken toen een heel klein stemmetje van achter hem 'Mama!' gilde.

Het was Vinny.

Door ons eigen geschreeuw hadden we haar de trap niet af horen komen. Ze rende op ons af om mij te redden. Schuimbekkend van woede zwiepte hij zijn lijf haar kant op. Zijn been schoot uit om haar vol te treffen. Het moet een waanzinnige schop zijn geweest, de man was groot, ruim één meter tachtig. Haar kleine iele lichaampje vloog minstens een meter door de lucht, waarna ze rugwaarts tegen (godzijdank) de bank knalde. Een halve meter verder en ze was door de glazenkast gegaan.

Even viel alles stil. Misschien was het de dofheid van de klap die ik had gekregen of de aanblik van Vinny's kleine lichaam, kronkelend op de vloer, hijgend en kreunend, en ook vandaag de dag weet ik nog steeds niet wat er precies gebeurde, maar toen gebeurde het.

Mijn hand greep de koperen kandelaar van de schoorsteenmantel. Hij stond nog steeds te razen en toen hij zich met zwaaiende armen naar me toe draaide om me nog meer klappen te geven, trof ik hem pal op zijn hoofd, zodat hij op de tafel terechtkwam. Even dacht ik dat ik hem had vermoord, maar toen hij nog steeds mompelde en begon te bewegen om zich omhoog te duwen, dook ik op hem af en gaf ik hem een allemachtige zet.

Hij tuimelde door het raam en belandde in de tuin.

De politie – samen met de buren die hen gebeld hadden – trof mij zittend aan op de bank, met allebei de kinderen in mijn armen, terwijl hij nog steeds in de tuin tussen de scherven lag, in een plas van zijn eigen bloed. In het ziekenhuis zeiden ze dat hij een hersenschudding had en er nog een paar dagen moest blijven. Zodra de politie de verklaringen had opgetekend en de buren mij vol hadden gegoten met hete, zoete thee en naar huis waren gegaan, belde ik het nummer van het blijf-van-mijn-lijfhuis. Doordat ze klein en slaperig was, had Vinny geen echte verwondingen opgelopen; ze was alleen maar door elkaar gerammeld.

Het was nog een wonder dat ze door de klap niet haar hele ribbenkast had gebroken. Destijds was Arie nog maar twee, te jong om echt te begrijpen wat er gebeurde, maar Vinny was helemaal ontdaan omdat ze alles had gezien en een klein deel van haar vaders woede mee had gekregen; ze was net drie. Terwijl ze toekeek hoe ik al huilend mijn spullen pakte, hingen haar springerige donkere krullen rond haar licht gezwollen gezichtje. Ze bleef maar vragen of papa ook meeging op die fantastische verrassingsreis van ons.

Ik werd gered door de voordeurbel, droogde gauw mijn gezicht en gaf haar de leiding over het inpakken van belangrijke zaken zoals haar lievelingsspeelgoed, en toen ik wegliep om de deur open te doen, kreeg ze uiteindelijk ook het toezicht over Arie, omdat ze erop moest letten dat die niet uit haar houten tralieledikantje ontsnapte. Nick en Jackie stelden zich voor, sloegen de aangeboden thee af en zeiden dat we op moesten schieten. En uiteindelijk belandde ik hier, het waterpeil in mijn bad opstuwend met tranen van uitzichtloosheid.

De volgende morgen maakten de kinderen me wakker om te zeggen dat de teddybeer honger had. Afgaand op de geluiden en het licht, leek het eerste deel van de ochtend wel voorbij. Toen we de keuken in kwamen, bevestigde Jackie mijn vermoedens. Het was al over tienen. Ze was om acht uur opgestaan om de werklui binnen te laten en daarna vertrokken om boodschappen te doen. Ze wees op de resultaten van haar tocht, die overal over de tafel verspreid lagen.

We hoorden de werklui op de onderliggende verdiepingen hameren en schreeuwen. Jackie zette beide kinderen in een stoel en begon ontbijt te maken. Ze vroeg of we goed geslapen hadden en zei dat we ons geen zorgen hoefden te maken over de werklui, omdat die hier op de derde verdieping klaar waren zodat, afgezien van het lawaai, niemand mij en de kinderen zou storen in de tijd dat ik nadacht over wat ik met mijn leven zou gaan doen.

Jackie was drieënveertig en had ook twee kinderen. Het grootste deel van de tijd waren die weg, op kostschool en op de universiteit. Haar echtgenoot was een zakenman die voortdurend de hele wereld rondvloog.

Ze had kort blond haar en zachte, grijze ogen. Aan de manier waarop Arie en Vinny haar zachtaardigheid beantwoordden, kon ik zien dat ze echt om mensen gaf. Kinderen zijn een fantastische graadmeter voor dat soort dingen. In de jaren die volgden werden die twee mijn automatische peilzenders van omgeving en sfeer. Ik hoefde alleen maar naar ze te kijken om ogenblikkelijk te weten of degene die we zojuist hadden ontmoet, vóór of tegen ons was.

Na het ontbijt hielp Vinny Jackie met afwassen door vanaf een stoel die tot de gootsteen reikte het schuim overal naartoe te spetteren, terwijl ik door de tas vol kleren ging die het Leger des Heils had meegegeven.

Mijn uiterlijke verschijning zou binnenkort een transformatie ondergaan.

Mijn zijden tweedelig – broek met laag kruis, blouse tot mijn knieën - en de sjaal om mijn hoofd, het zag er heel allemaal heel mooi uit, en het zat bovendien heerlijk, maar het viel veel te veel op, hoezeer exotisch ook in de mode was. Het huis lag aan de rand van de stad en de bevolking in die buurt bestond nu eenmaal voornamelijk uit bezadigde buitenlui, deels gepensioneerd of werkloos, en qua kleding uiterst conservatief. Op de minstens anderhalve kilometer lange busrit van de ene naar de andere kant van de winkelstraat woonde geen enkele zwarte familie, dus ik zou de kans op mijn opsporing enorm verkleinen als ik mijn best deed een beetje meer in de menigte op te gaan.

Na een paar uur allerlei combinaties te hebben geprobeerd, kwamen we tot de conclusie dat ik te klein was voor damesmaten en te oud voor kinderkleding, dus Jackie zou thuis nog eens rondneuzen of ze niet iets beters had.

Het succes van de ochtend was mijn haar. Het hing tot over mijn middel en had nog nooit het scherp gevoeld van welke schaar dan ook. Jackie kamde een handvol over mijn gezicht en knipte er een pony van, haalde vervolgens de rest schuin naar achteren in een staart en – oké! – in plaats van eruit te zien als een negentienjarige die vijfendertig moest lijken, werd ik op slag zo'n twintig jaar jonger.

In de vier weken die volgden werd dit ons dagschema. Elke dag bracht of Nicky of Jackie haar ochtendpauze met mij door om me alweer door een nieuwe, fascinerende etappe van verwestering heen te coachen. Jackie hield zich het meest met het hier en nu bezig. Uiterlijk en het lichaam waren haar terrein. Ze maakte me wegwijs in de kruidengeneeskunst en aromatherapie, zelfverdediging voor het zelfvertrouwen en yoga voor de ontspanning en beheersing.

Aan vegetarische maaltijden was ik gewend. Mijn vader was priester en zodra mijn broers buitenshuis waren gaan wonen, wilde hij onze gemeenschap het goede voorbeeld geven, door gezonder en vleesvrij voedsel te eten. Mijn vader en moeder waren allebei diabeet, dus ook suiker was schaars. In mijn kinderjaren had ik dus heel gezond geleefd en hoewel ik met een vleesetende, whisky-zuipende barbaar was getrouwd, was ik nooit echt gewend geraakt aan de culinaire gewoonten van mijn schoonfamilie.

Mijn huwelijk was overigens om politieke redenen gesloten, omdat de familie van mijn man een geheel eigen groep was gaan vormen binnen de gemeenschap. Achttien broers en zusters had hij, inmiddels allemaal getrouwd. Op dat moment stond de teller op tweeënvijftig kleinkinderen en twaalf achterkleinkinderen. De meeste huwelijken waren gesloten met leden van andere familieclans, verspreid over het hele land, waardoor een wijd vertakt netwerk van allerlei onfrisse praktijken tot stand was gekomen. De koppelaarster benaderde de kerkeraad en stelde voor dat een huwelijk met een hogere kaste deze familie wellicht meer aanzien zou geven en ertoe zou leiden dat ze meer verantwoordelijkheid binnen de gemeenschap zouden willen dragen.

Het kastenstelsel is uiterst ingewikkeld en gewoonlijk trouwen de leden van verschillende kasten niet met elkaar, maar het voordeel van twee vliegen in een klap was duidelijk. Als een lid van de priesterkaste met iemand van een gangsterfamilie trouwde, zouden de gangsters aanzien krijgen en de kerk kon genieten van de officieuze rijkdom van de gangsters. Hoe het ook zij, toen mijn man en ik na de verplichte paar jaar bij mijn schoonfamilie ons eigen huis betrokken, keerde ik terug naar de eetgewoontes uit mijn kindertijd.

Ik stond volledig perplex vanwege het feit dat Jackies theorieën zo veel op die van mijn moeder leken. Maar voor Nicky moest ik mijn hersens in bochten wringen. Zij was een meisje uit de buurt dat zich opgewerkt had. Haar moeder had haar hele leven voor Willis, de tabaksfabriek, gewerkt, al op haar veertiende was ze begonnen met het handmatig rollen van sigaren. Haar vader had een baan gehad bij het postkantoor. Ze was vol en voluptueus, met donkere krullen. Ze noemde zichzelf een hippie. Via een doorsnee lagere school en een doorsnee middelbare school had ze een graad in de sociale wetenschappen weten te verwerven in het hoger beroepsonderwijs.

Ze vond dat hasj moest worden gelegaliseerd, droeg een heel scala aan buttons die STOP riepen tegen dingen als geweld en de bom en ze verspreidde dezelfde geur als een kerkaltaar, een soort muskusachtige wierook. Ze had een open relatie met een getrouwde man met twee kinderen.

Nicky was een felle, boze jonge vrouw. Een paar keer probeerde ik met haar over die woede te praten, en ik zei dat het misschien zou kunnen komen door haar geliefde, ik bedoel, uiteindelijk was ik zelf net weggelopen – of weggerend moet ik misschien zeggen – uit een relatie met een man die ook een ander had, iets waar ik waanzinnig kwaad over was. Hoewel het niet helemaal hetzelfde was (er werd niet bij geslagen en er kwam geen koppelaarster of kerkelijke politiek bij kijken), had het er voor mij alle schijn van dat Nicky's woede grotendeels veroorzaakt werd door de eeuwige verwikkelingen, zelfs als de vrouw van deze man Nicky kende en geen bezwaar had tegen de driehoeksverhouding. Hij zei steeds dingen af en in de weinige tijd die ze samen doorbrachten, leek het vooral te gaan om wat de een of de ander dacht dat de andere twee zouden denken, met het oog op de algehele onzekerheid van de situatie.

En er leken wel miljoenen onzekerheden te bestaan.

Volgens Nicky vloeide haar woede echter voort uit het gegeven dat vrouwen nu eenmaal veroordeeld waren tot een rotleven en ze kon er eindeloos over doorgaan hoe belangrijk het was om onafhankelijk en zelfbewust te zijn. Toen ze erachter kwam dat haar vriend de driehoek tot een vierkant had opgerekt door ook nog iemand anders te verwelkomen, verstomden onze gesprekken over open relaties.

Twee weken later werd ze boeddhist en vrijgezel. Wel had ze schitterende ideeën over de opvoeding van kinderen. Ze vond dat kinderen volgens een rooster gedeeld moesten worden door iedereen, vrouwen én mannen.

Dit klonk beter dan het open-relatieverhaal en we probeerden zelfs manieren te bedenken om de vrouwen die in het blijf-van-mijn-lijfhuis zouden komen over te halen hier actie voor te voeren. Toen de officiële opening eenmaal een feit was en de vrouwen inderdaad binnendruppelden, verdwenen deze acties naar de achtergrond, omdat deze vrouwen tot mijn verbazing heel anders waren dan Nicky en Jackie.

Het natuurlijke standsverschil tussen mensen met een opleiding en wat je het gewone volk zou kunnen noemen, was de volgende cultuurshock die ik te verwerken kreeg. Ik dacht altijd dat het Aziatische kastensysteem ingewikkeld was, maar de Britten drukten me al snel met mijn neus op de feiten. De meeste bewoonsters van het blijf-van-mijn-lijfhuis wisten niets van emancipatie af, en ze hadden er doorgaans geen enkele boodschap aan.

Met deze vrouwen had ik veel meer gemeen dan met Nicky en Jackie. Ze hadden geen flauw idee waar vrouwen wel of niet actie voor zouden kunnen voeren, ze hadden het veel te druk met hun eigen rotleven.

In de vier weken dat ik de enige echte bewoonster van het nieuwe huis was geweest, hadden medewerksters zoals Nick en Jackie, plus een hele hoop anderen die allemaal in het bestuur van het blijf-van-mijn-lijfhuis zaten, me een nogal utopisch beeld gegeven van de positie van de vrouw in de Westerse samenleving. Het meppen van vrouwen was een hobby van alle mannen, zonder onderscheid naar rangen en standen, zo hadden ze me aan het verstand proberen te brengen. Misschien was dat ook wel waar. Alleen bleken de meer welvarende of de goed opgeleide vrouwen toch geen blijf-van-mijn-lijfhuis nodig te hebben.

Heel af en toe kwam er midden in de nacht wel een beter gesitueerde of hoger opgeleide vrouw naar het opvangcentrum toe, als er sprake was van een acute noodsituatie. Zo was er de rijke erfdochter, die zo ongeveer vanaf haar tiende door haar vader seksueel was misbruikt, nadat haar moeder bij een brand was omgekomen. De politie wilde haar verblijfplaats geheim houden, maar achtte het niet gepast deze vrouw een nacht lang bloot te stellen aan de Spartaanse omstandigheden van het politiebureau. Over het algemeen beschikten de vrouwen die er voor langere tijd terechtkwamen slechts over zeer bescheiden middelen en stonden ze niet echt open voor een stevig debat over vrouwenrechten.

2
Lichtjes en lagerbier

Arie en Vinny veranderden ook, al ging dit met minder verwarring gepaard dan bij mij. Vinny, stralend als een zonnetje en zo scherp van tong dat je zou zweren dat ze zichzelf nog eens zou snijden, werd iets minder een zoeker en meer een dromer. Arie viel al sinds haar geboorte in deze categorie. Allebei aanvaardden ze ons nieuwe leven en onze nieuwe vrienden met het grootste gemak.

Opnieuw verbaasde het me hoe fantastisch kinderen kunnen zijn. Arie werd drie weken voor de eerste verjaardag van Vinny geboren, die toen al bijna klaar was voor zindelijkheidstraining. Ze hadden bijna nooit ruzie, iets wat mensen vaak vreemd vonden voor twee kleine meisjes, en ze hadden een soort geheimtaal met z'n tweeën. Als Arie naar Vinny keek en een geluid achter in haar keel maakte, een soort gorgel, dan wist Vinny ogenblikkelijk dat ze honger had of ze kwam met een voorwerp waarvan ze zei dat Arie het absoluut nodig had. Vanaf het moment dat we ontsnapt waren, leek de band tussen de twee alleen maar sterker te worden. Door dik en dun, twee handen op een buik, zo sliepen ze samen in een bed, aten ze samen van een bord en zaten ze samen in bad.

Hoewel ze nog maar klein waren, hadden beide meisjes zich tijdens ons dagelijks leven in de sikhse gemeenschap al in de mindere, vrouwelijke rol geschikt. Maar tijdens die eerste weken in het opvanghuis overwonnen ze hun verlegenheid en een prachtige zelfverzekerdheid kwam naar boven, iets waar ik jaren over deed, en nog langer op moest oefenen. Arie leerde beter voor zichzelf op te komen en Vinny achtervolgde me niet langer met haar continue stroom van waarom-vragen, die een irritante gewoonte waren geworden, ze zocht de dingen eerst zelf wat beter uit, en kwam vervolgens bij me om verslag te doen van haar bevindingen.

Op magische wijze verdween het woord 'papa' uit hun woordenschat.

Ik wil niet zeggen dat het engeltjes waren, want dat waren ze niet. Net als alle kinderen van die leeftijd waren ze soms ondeugend, meteen weer smerig zodra ik ze schone kleren had aangetrokken en konden ze zich urenlang vermaken met het roepen van vieze woorden. Af en toe moest ik weer zo'n preek houden met een belerend vingertje, zo van wees lief, gedraag je, anders zwaait er wat. En meestal gedroegen ze zich ook, maar zoals ik al zei, engeltjes waren het beslist niet.

Er voltrok zich echter ook een ander wonder dat niet onvermeld mag blijven.

We spraken met elkaar.

In de echtelijke woning sprak ik gewoonlijk meer tegen ze dan met ze. Geef eens een doekje, raap dat eens op of probeer je kleren schoon te houden. Met de vrouwen in het blijf-van-mijn-lijfhuis kon ik praktisch overal over praten, behalve over mijn toekomstplannen. De andere vrouwen leken meestal niet zo heel erg met de toekomst bezig te zijn. De meeste gesprekken gingen over het verleden. Wat er met hen of met mij was gebeurd. En hoe het was gebeurd, of waarom.

Er waren vrij veel andere immigrantenvrouwen, zodat we altijd veel gespreksstof hadden: wie had waaronder geleden en waarin verschilde dat van de verhalen van al die anderen die het ongeluk hadden op een plek als het blijf-van-mijn-lijfhuis terecht te zijn gekomen. Die gesprekken waren in de plaats gekomen van mijn sessies met Nick en Jackie – vanwege de stroom nieuwelingen hadden die twee minder tijd – en ze schoven de horizon van mijn nieuwe wereld steeds verder op. De toekomst bleef voor de meeste van die vrouwen een duister zwart gat.

Misschien kwam het ook wel doordat ik zelf nog zo jong was, maar voor mij was de toekomst het enige wat ik had. Ik was niet van plan om terug te gaan, ik hoefde niet van mijn man te houden, of in ieder geval niet op dezelfde manier als veel andere vrouwen in huis.

Ook dit was een absurde ontdekking.

Het feit dat je ook geslagen of geterroriseerd kon worden als je op de Westerse manier van je man hield, je weet wel, als je zelf degene had uitgekozen met wie je je leven ging doorbrengen. Ik deed ook een heleboel praktische kennis op uit deze gesprekken: hoe kun je thuis je haar permanenten, hoe kun je geld krijgen van de sociale dienst?

Dat was trouwens nog een van de meest vreemdsoortige dingen, die sociale dienst.

Als je kinderen had, vrouw was en om welke reden dan ook alleen leefde, dan kreeg je kennelijk geld van de regering.

Het duurde jaren voor ik dat begreep.

Ik wist zeker dat er iets achter zat.

Iemand die jou niet kende, maar die je zomaar geld gaf terwijl je er niets voor deed? Voor mij was het volslagen onlogisch.

Ik was ervan overtuigd dat je hoe dan ook werd voorgelogen en dat je kinderen uiteindelijk van je weggenomen zouden worden en naar werkkampen werden gestuurd, of nog erger, dat het een of andere geheime slavenhandel was.

Zoals ik al zei, ik was nog heel jong en een volslagen

groentje in de Westerse maatschappij.

Dit had natuurlijk anders moeten zijn, want ik ben in Engeland geboren en getogen, maar de geïsoleerde levensstijl van mijn volk filterde dit soort informatie uit je leven. Je groeide op, trouwde en bleef thuis terwijl je man naar zijn werk ging.

Doodgewoon.

Zwart-wit.

Vrouwen hoefden niet voor geld te zorgen. Het bijhouden en beheren ervan, en het af en toe investeren in nieuwe juwelen was toch al voldoende om de dag mee te vullen. De mannen gingen over het verdienen.

De nieuwe vrouwen in mijn omgeving hadden het bijna nooit over wat hun volgende stap zou zijn. Wanneer het onderwerp al ter sprake kwam, dachten de meesten erover om terug te gaan naar hun huis of man of allebei, en velen deden dat ook.

Ik niet.

Ik kan met gerust hart zeggen dat ik er nooit, geen enkele keer, over heb gedacht om terug te gaan naar waar ik vandaan kwam. De enige weg voor mij was de toekomst, in mijn eentje met de kinderen. 's Avonds, als ik ze had ingestopt, verzonnen we grote verhalen over wat we gingen doen. We zouden moderecensent worden, financieel adviseur of pr-machine. In de meeste sikhse huishoudens wordt tien procent van het wekelijkse inkomen aan de kerk geschonken. Als dit om de een of andere reden niet mogelijk was, kon in plaats daarvan een pak bonen of ander voedsel gegeven worden voor de gratis maaltijd op zondag, of je kon aanbieden werk te doen: het schoonmaken van het hoofdgebouw en de wc's.

De kinderen en ik besloten ons geloof in ere te houden en te proberen minstens een tiende van ons wekelijkse inkomen opzij te leggen. Het was natuurlijk niet voor de kerk, het was voor onze toekomst, maar toch noemden we het Ons Gewijde Geld. Tien procent van onze uitkering was maar een habbekrats, maar voor wie nog nooit zelf geld had gehad, was het een fortuin. Op deze manier hadden we eeuwen moeten sparen om ons een dagje Brighton te kunnen veroorloven, maar 's avonds vlogen onze gedachten, gevoed door die schaarse centen, van het hart van de dichtbegroeide Afrikaanse oerwouden tot aan de uitersten van de urban jungle van New York.

We waren zoiets als het A-team.

We waren op een goddelijke missie.

Gewoon glashard naar buiten gaan en zien wat er te doen is, meedoen aan het leven!

De kinderen hadden altijd wel oor naar mijn voorstellen en na verloop van tijd stemden we erover en we namen ze op in ons geheime plan X. Onze eigen *X file* werd zo enorm groot, dat we na twee weken ontdekten dat het ons een paar honderd jaar zou kosten om alles uit te voeren, zodat we besloten de wet van Murphy te volgen en het plan weg te doen.

We hadden geen groot plan nodig, we zouden wel zien wat er als eerste langskwam en dat aanpakken.

Inmiddels zaten we aan het begin van onze derde maand in het blijf-van-mijn-lijfhuis en hoewel ik overwogen had de wereld rond te reizen en alles te worden, van fotomodel tot hersenchirurg, konden we hier natuurlijk niet eeuwig blijven wonen. Nick en Jackie waren vreselijk bezorgd dat ik om de een of andere reden snel weg zou moeten, en ze betwijfelden of ik het in mijn eentje wel zou redden. Ze stelden me voor aan Jannie, een nieuwe medewerkster die zes maanden stage liep terwijl ze onderzoek deed voor haar proefschrift getiteld *Gewelddadige mannen en hoe je zonder hen verder kunt*. Ze kon geen gewoon werk in het centrum doen omdat ze door de week ook college gaf op de universiteit, en daarom had zij als taak gekregen mij te steunen. Ze zou bereikbaar zijn, zo nodig telefonisch, om mijn vragen te beantwoorden en mij advies en steun te bieden als ik dat nodig had.

Jannie was achterin de twintig, Iers en ze had een hele massa rode krullen die tot haar middel reikte, groene ogen en sproeten. Vanaf onze eerste kennismaking wist ik dat ze anders was. Ze kwam oorspronkelijk uit Dublin en had achtereenvolgens in Amerika en Londen gewoond en in haar stem zat een zachte, lyrische ondertoon.

De kinderen liepen met haar weg.

In het begin dronken we alleen maar zo nu en dan een kop thee als ze toch in het blijf-van-mijn-lijfhuis was voor bestuursvergaderingen, of als ze iets uit het gebouw moest hebben. Maar al gauw zaten we elke dag met elkaar aan de telefoon of kwam ze na haar werk langs en dan zaten we tot in de vroege ochtend in mijn kamer te kletsen. In het begin was dat altijd zogenaamd vanwege haar onderzoek of iets nieuws waar ik het moeilijk mee had, maar langzaam maar zeker werd het een behoefte.

Ik begreep niet zo goed waarom ik me zo raar voelde in haar gezelschap. Een plotselinge trillerigheid ontstond onder in mijn buik als ze belde, of als de tijd naderde waarop ik wist dat ze zou komen.

Als ik haar vertelde over dingen als Ons Gewijde Geld of haar vroeg hoe het voelde als je dacht dat je met een man wilde vrijen, klonk er bijna zoiets als muziek in haar lach. Mijn huisgenoten in het blijf-van-mijn-lijfhuis vormden nou niet bepaald een goed voorbeeld of helder baken op de weg naar een liefdevolle relatie. Hoewel mijn huisgenoten andere problemen met hun mannen hadden dan de medewerksters, leken er toch altijd wel problemen te zijn. Jackies man was nooit thuis en die arme Nicky was overtuigd vrijgezel geworden na een hele reeks van open, gesloten en terloopse relaties. Jannie had geen man of vriend. Ze zei dat ze er geen behoefte aan had.

Hier kon ik me niets bij voorstellen. Was ze niet bang dat ze over zou blijven of te oud zou zijn om een vader te vinden voor haar kinderen? Opnieuw lachte ze met een soort alwetende glimlach en maakte er een grap van. Op een dag belde ze me op en zei dat het tijd werd voor een uitgaansexperiment, omdat dat de beste manier was om een partner te vinden. Veel anderen gingen vrij regelmatig naar het buurtcafé een paar huizen verderop, en meestal paste ik dan op de kinderen. In al die vijftien weken dat ik in het opvanghuis had gezeten, was ik naar één boekenmarkt voor vrouwen geweest en naar een sponsorloop – van Keynsham naar Bath.

Ik was nog nooit 's avonds uit geweest.

Het beloofde een cruciale avond te worden, zowel voor mijzelf als voor J.R. Ewing uit Dallas, de zondekistserie. Ik zou voor het eerst drank proeven en hij zou voor het eerst worden neergeschoten.

Iedereen in huis was opgewonden. Sommige vrouwen wedden zelfs over wie hem zou neerschieten. Zou het een van de vele vijanden zijn die J.R. had verzameld of een of andere slijmbal, zijn broer Bobby bijvoorbeeld of Sue Ellen, zijn zo dramatisch alcoholistische maar beeldschone vrouw? Het was alsof het circus naar de stad kwam.

Mijn moderecensenten lieten me hopeloos in de steek. Terwijl ik mijn hele klerenkast doorging, zaten ze samen op het bed te knikken en te klappen bij alles wat ik aantrok. Ik besloot een ruil-, leen- of bedelestafette door het hele huis te houden en liep de avondmaaltijd daardoor grotendeels mis.

Toen Jannie tegen achten arriveerde, zaten de kinderen nog aan hun geroosterd brood met witte bonen in tomatensaus. Ze bood aan hen in bad te doen en naar bed te brengen met een verhaaltje, terwijl ik me gereed zou maken. Een hele zwerm vrouwen wilde die avond wel op de kinderen passen, ze bleven toch al thuis om naar de schietpartij te kijken.

Ik kreeg veel advies, zo van 'oké meid, ga d'r maar lekker voor, hè', wat waarschijnlijk bemoedigend bedoeld was, maar ik kon niet voorkomen dat ik achterdochtig werd van de manier waarop ze daarbij naar elkaar knipoogden of grijnsden. Tegen negenen vielen de meiden eindelijk in slaap, en Jannie en ik konden naar de kroeg.

Het was ronduit afgrijselijk.

We zijn er precies dertien minuten binnen geweest. Dat weet ik zo goed, omdat ik praktisch iedere seconde heb afgeteld. In die tijd haalde Jannie twee halve pinten lagerbier, waarvan er eentje versierd was met limoen om het voor mij wat zoeter te maken. Jannie had gezegd dat ik het in het begin misschien wat bitter zou vinden.

Het was niet alleen bitter, het was walgelijk.

Lauw als het was met van dat schuim bovenop, het leek wel iets dat je in een geboortekliniek op sterk water zou vinden.

Ik wilde Jannie niet beledigen, dus ik probeerde het te drinken; ze had het immers voor me besteld. De volgende negen van die dertien minuten bracht ik overgevend door op het damestoilet. Jannie stelde me op mijn gemak door te zeggen dat het waarschijnlijk de zenuwen waren, en ze stelde voor om ergens anders naartoe te gaan. Ergens waar ze thee en koffie hadden, wat de enige drankjes waren die ik kende. We reden de stad in en voor het eerst in de vier jaar dat ik in Bristol woonde, zag ik de drijvende haven.

Het was prachtig.

Aangezien de scheepvaart in verval was geraakt, waren alle pakhuizen langs de kade omgetoverd in winkels en cafés. Het scheepvaartmuseum stond pal op de zuidhoek van de straat, waar we parkeerden en vanwaar de rivier de Avon zijn bochtige weg naar zee doorliep. De eerste kroeg was donker en somber vergeleken met de kunstzinnige buurt waar we nu waren beland. We konden uit meerdere gelegenheden kiezen. Jannie dacht dat het Arnolfini Art Centre wel het leukst zou zijn, omdat we daar informatie konden krijgen over films, toneelstukken en tentoonstellingen die ze wilde zien.

Er was een bar ingericht en een zitruimte, zodat wie alleen op thee draaide – zoals ik – zich vol kon stouwen met chocoladetaart en earl grey, terwijl je vrienden pinten van de beste biersoorten stonden te tanken, Old Peculiar bijvoorbeeld, of chique wijnen. Het was ruim en goed verlicht, niet fel maar iets terughoudender, met hoge plafonds en muziek die niet te hard stond, zodat je erdoorheen kon praten. Er stonden geen biljarttafels of speelautomaten en de meeste mensen zagen eruit alsof ze rechtstreeks uit een glossy tijdschrift waren gestapt. Er zaten ook twee bioscopen bij, een enorme expositieruimte beneden en een kleinere boven, en buiten bij de zij-ingang stonden houten banken en tafels, zodat je uitzicht had over de rivier. Eastville, de buurt waar ik met mijn man had gewoond in het noorden van de stad, was mijlenver verwijderd van deze bijna idyllische plek, met zijn wandelpaden met kinderkopjes en de lichtdecoraties.

Het leek wel Kerstmis, maar Jannie zei dat het er altijd zo uitzag.

Eastville lag tussen de snelweg, de M32, en tegen de randen van de achterbuurt van Bristol aan, dus ook al kon je helemaal naar het noorden door het park van Eastville heen lopen (zodat je in het prachtige platteland van Snuff Mills terechtkwam, inmiddels een beschermd natuurreservaat), behalve akkers en de snelweg had je er niet veel om over uit te kijken.

Maar dit leek wel een schilderij. We gingen buiten zitten, zodat ik kon bijkomen van het lagerbier, waar ik nog een beetje misselijk van was. Een zacht, warm briesje vulde de avondlucht en de grootse architectuur die het resultaat was van de eeuwenlange handel in slaven, thee en tabak, strekte zich stijgend en dalend over de heuvels voor ons uit alsof het een film van Walt Disney was. Cabot's Tower flitste zijn morsecodes over Bristol uit, en Clifton Suspension Bridge was gehuld in duizenden piepkleine lichtjes; ze fonkelden als diamantjes aan de donkere avondhemel.

Het was schitterend. Jannie praatte en nu was ik eens degene die luisterde. Ze was katholiek, zodat ze mijn gevoelens ten aanzien van religie goed begreep. Ze wilde best gelovig zijn, dat was het niet, maar soms was het zo verwarrend. In haar studietijd had ze abortus laten plegen, iets waarvoor ze destijds naar Engeland had moeten reizen. Inmiddels was er van alles aan het veranderen, zei ze, maar op het moment zelf had ze haar eigen familie niet eens kunnen vertellen wat er aan de hand was. Getrouwd was ze niet, ze wilde geen levenslang contract met een man van wie ze niet hield. En ook dat was iets wat haar ouders niet hadden kunnen begrijpen. Zij waren namelijk al sinds het einde van hun tienerjaren gelukkig getrouwd. Maar toen lagen de dingen anders, dat was gewoon hoe de wereld er destijds uitzag.

Die wereld klonk heel erg als de wereld waarin ik tot voor kort had geleefd. Maar ik begreep haar, ik kende haar pijn. Ik kende de veldslag die 's zondags geleverd werd als je nog duizenden dingen moest doen en de kerktijd naderde. Hoe je op jezelf inpraatte om maar te geloven dat je naar het huis gods ging om op onderdanige wijze eer te betonen aan iets wat boven de mensheid stond, maar dat je nog steeds de nieuwste bloemenprints uit Bombay moest dragen die je zes maanden geleden had besteld en die perfect stonden bij de nieuwe amuletten om je arm. Je voelde dat het niet klopte, maar als je niet in de laatste mode liep, had dat kennelijk toch een weerslag op je respect voor god.

Het leven was nu eenmaal heel erg tweeslachtig als je wist dat het boek van de Waarheid dicteerde dat je sober en eenvoudig moest leven, en dat dan een beloning volgen zou. Jannies vader dronk nog wel eens wat en dat maakte het voor haar allemaal nog veel verwarrender. Soms snapte ze gewoon niet waarom haar moeder met hem was getrouwd. Voor mij was dit nog ietsje moeilijker te bevatten, omdat het nog een zwevend, onbekend gebied was. De vrouwen in het opvanghuis zeiden steeds weer precies hetzelfde: 'Waarom ben ik met hem getrouwd of bij hem in getrokken?'

God leek op dat gebied ook weinig uitkomst te bieden.

Toen Jannie ontdekte dat haar vader haar moeder had geslagen, liep ze van huis weg. Ze had geprobeerd met haar moeder te praten, geprobeerd haar over te halen bij haar vader weg te gaan, maar haar moeder had al te lang in stilte geleden, het was een manier van leven geworden.

Zo zonder opleiding en bang om weg te lopen van alles wat ze kende, weg van de enige manier van leven waarvan ze begreep hoe het moest, het klonk al net als mijn verhaal.

Jannies vader kwam erachter dat ze haar moeder had aangeraden om bij hem weg te gaan. Haar broers hadden zich er niet mee bemoeid, en dat moest zij ook maar doen, wat hij en haar moeder privé deden was hun zaak.

Toen had Jannie haar broers, allebei ouder dan zij, geconfronteerd met de situatie thuis. Die zeiden dat ze er alles van wisten, maar er niets aan zouden doen, en dat was voor haar ook de beste oplossing.

Daarna en na de abortus, toen haar vriendje eigenlijk niet eens interesse had getoond op het moment dat Jannie vertelde dat ze zwanger was, was ze eigenlijk wel zo'n beetje klaar met het mannelijk geslacht. Kort nadat ze het huis uit was, liet haar familie haar helemaal zitten toen ze bij een of andere vredes- en vrijheidsdemonstratie werd gearresteerd.

Niet alleen had ze immers de traditionele rolverdeling thuis en die tussen mannen en vrouwen in het algemeen willen beïnvloeden, maar alle vrienden en familieleden hadden haar ook nog eens op die goeie ouwe zondekist gezien, al trappend en schreeuwend van heb je buurman lief en leef in vrede met de protestanten. Ze werd verbannen met een briefje van haar moeder, waarin die riep hoe vreselijk ze zich schaamde voor haar dochter, en vroeg aan wiens kant Jannie nou eigenlijk stond. Dat deel van het verhaal begreep ik ook nog niet zo goed, maar Jannie vertelde me dat bijna niemand die niet Iers was, iets begreep van de scheiding tussen protestanten en katholieken. Het had het land, huizen en geliefden al eeuwenlang verdeeld. Afijn, Jannie was nu een wereldburger, blij dat ze aan mannen en religie was ontsnapt, ze voelde zich prima als links krijswijf. Voor het eerst schaamde ik me echt voor mijn onwetendheid en al starend in mijn thee bekende ik dat ik geen idee had waar ze het over had, en dat Aziaten alleen krijsten als er iemand overleden was en dat ik niet wist wat een links krijswijf was.

Jannie nam mijn hand in de hare, hield hem stevig vast en glimlachte lief.

'Maak je geen zorgen', zei ze, en haar ogen liepen vol, 'Alles op zijn tijd, je bent ontzettend sterk van geest en als je maar een beetje geduld hebt, dan gaat alles goed, gewoon stapje voor stapje en dan komen we er wel.'

Ze wist dat ik me vreselijk schaamde en begon zoetjesaan uit te leggen hoe ik linkse en rechtse mensen kon herkennen aan hun kleren of hun houding, hun taalgebruik of hun bezittingen. We praatten en dronken en dronken en praatten urenlang. Het Arnolfini ging dicht, de cafés langs de rivier gingen dicht en zelfs de sprookjesachtige straatver-

3
Kama Sutra

Er hing een bijpassende doek langs de ene muur over wat ik dacht dat een bultig matras was, maar wat zij een futon noemde, en de andere muur werd volledig bedekt door een bouwsel met daarin honderden boeken, een zondekist en een stereo-installatie. Planten in allerlei soorten en maten sprongen vanuit de hele kamer op je af en hingen zelfs aan delen van het plafond en vazen met evenveel dode als levende bloemen stonden op werkelijk alle mogelijke lege plekken. Na tien minuten zoeken vonden we de telefoon, die verborgen was onder een stapel kleren die kennelijk haar klerenkast vormde. De vrouwen in het opvanghuis aan de andere kant van de lijn begonnen te giechelen toen ik vroeg of ze die nacht op de kinderen konden passen omdat ik had besloten die bij een vriend door te brengen.

'Gedraag je, pas goed op jezelf en doe het niet zonder, hè', zei een van de vrouwen tegen me.

Natuurlijk beloofden ze dat ze goed voor de kinderen zouden zorgen en ik beloofde dat ik de volgende ochtend vroeg thuis zou zijn.

Jannie maakte iets warms, melkachtigs te drinken en we gingen op de vloer zitten, iets waar ik redelijk aan gewend was omdat ik dat het grootste deel van mijn leven gedaan had, maar niet in een spijkerbroek die er – toegegeven – best prima uitziet, maar ontzettend vervelend zit. Ze las me wat gedichten voor en vroeg me of ik een vredespijp met haar wilde roken. Ruzie hadden we niet gehad en ik had nog nooit in mijn leven iets gerookt, dus keek ik haar alleen maar met grote ogen aan en haalde mijn schouders op. Het is maar een manier van spreken, zei ze, toen ze mijn blanco uitdrukking zag en ze stond op en ging naar de slaapkamer.

Een paar seconden later kwam ze terug met een klein versierd doosje. In kleermakerszit ging ze weer aan de salontafel zitten en zette een ritueel in gang dat ik hierna nog vele malen zou meemaken. Ze haalde een paar kleine papiertjes te voorschijn en plakte die aan elkaar door aan de randen te likken, waar plaksel op zat. Daar verspreidde ze een beetje shag in die uit de doos kwam en iets droogs, groens en bladerigs. Vervolgens rolde ze het hele geval op tot een lompig uitziende sigaret en duwde een klein stukje buisvormig karton in het uiteinde. Om de inhoud samen te persen liet ze het ding een paar keer op de tafel ploffen met het open uiteinde omhoog, vervolgens stak ze het aan en nam zelf een trekje of twee voor ze het mijn kant op zwaaide.

Zodra ik het rook, wist ik wat het was.

Het was haar beurt om met haar mond vol tanden te staan.

'Niet te geloven man', lachte ze, toen ik haar vertelde dat mijn vader me vroeger vaak marihuana gaf als ik buikpijn had of me niet lekker voelde.

Natuurlijk had ik het nog nooit gerookt, maar in Aziatische huishoudens werd het vrij regelmatig als geneesmiddel gebruikt, en soms kreeg je het bij speciale gelegenheden in de kerk als een kruidig drankje dat door de mannen werd toebereid.

Een poging het in rookvorm te inhaleren verliep al bijna even desastreus als het drinken van het lagerbier, en in het begin hoestte ik alleen maar en ik werd misselijk, maar langzamerhand raakte ik op dreef en al snel was ik als een vis in het water.

Inmiddels was het drie uur 's ochtends en we waren een behoorlijk eind heen. Jannie bleef maar hoofdschuddend zeggen hoe verbaasd ze was dat ik al van heel jongs af aan gewend was stoned te worden, zowel met mijn ouders en familie als, nog veel erger, in het huis gods. Tegen vieren hadden we iets van een bed gemaakt met het bultige matras, dat we uitrolden en waar we flink op moesten stampen om het plat te krijgen. Het voelde als een soort van regendansritueel waarbij we steeds alle kanten op vielen van het lachen. Tot Jannie hierbij een klein plankje een eind naar beneden trok, naast de plek waar de opgerolde futon had gestaan. Ik had het niet opgemerkt, tot Jannie struikelde en het vastgreep om zich staande te houden zodat het praktisch van de muur af viel. Allerlei dingen die op het plankje verzameld waren, vielen verspreid over de futon. Haastig begon Jannie ze op te rapen. Zonder er ook maar een seconde over na te denken, bukte ik ook om haar te helpen, waarop ze me tegenhield en tegen me riep dat ik van die spullen af moest blijven. Ik was nogal geschrokken en toen ik een stapje achteruit deed om naar haar gezicht te kijken, drong het tot me door hoe nuchter ze er opeens uitzag. De voorwerpen op het bed waren niet zo bijzonder, maar ze zagen er nogal dierbaar uit. Een vreemde houten doos met schitterend houtsnijwerk was uit de zwartfluwelen doek gevallen die eromheen geslagen was.

Er zaten ook kaarsen bij van zwarte was en de kandelaars waar die in stonden, waren van een soort gedraaid metaal gemaakt, ook zwart. Een heel klein rekje met raar gekleurde flesjes met verschillende soorten poeders en vloeistoffen en een set van negen kleine zilveren mesjes met ebbenhouten heften lag vlak voor mijn voeten.

Even zeiden we geen woord, er was een ongemakkelijke stilte, en toen begon Jannie te huilen. Ik knielde naast haar neer en sloeg mijn arm om haar schouders. Ze klapte in elkaar en snikte als een klein kind. Na een poosje nam ik haar gezicht in mijn handen en probeerde haar tranen te stelpen, sussend en kleine, troostende geluidjes mompelend, hoewel ik geen idee had waarom ze zo overstuur was. Ze keek me aan met een vreemdsoortig, diep verdriet in haar ogen.

Ik weet even niet precies wat er daarna gebeurde, maar voor ik het wist waren we elkaar aan het zoenen.

Er zit nog steeds een soort van witte vlek in mijn geheugen voor wat er daarna precies gebeurde en in welke volgorde het allemaal ging, maar waar het op neerkomt is dat we de liefde bedreven. Niet sex, dat was iets wat je deed om kinderen te krijgen, we bedreven de liefde. De meeste meisjes van gemeenschappen waar de seksen worden gescheiden, hebben ooit seksueel contact met elkaar. Ik was niet anders dan de meesten en op een gegeven moment had ik in mijn jonge jaren zoenen en knuffels uitgeprobeerd, maar dit was waanzinnig, ongelooflijk, fantastisch! Elke seconde en elke minuut, elke zoen en elke streling ging als in een droom voorbij. Ik weet niet hoe het nou precies zat met die grote mythe rond de Kama Sutra, dat het iets van de hindoes was, ik had als sikhse nog nooit echt een exemplaar gezien, maar als Indiase vrouw had ik wel gehoord dat er veel geheimen in stonden over de seksuele aard van de mens.

Hoewel ik nooit een exemplaar in handen heb weten te krijgen, weet ik sindsdien zeker dat er in de Kama Sutra minstens een paar hoofdstukken gewijd moeten zijn aan wat zich die nacht tussen ons afspeelde. De volgende ochtend ging de wekker om half acht, we hadden praktisch geen oog dichtgedaan. Tussen ons hing een soort mysterieuze stilte. Het was alsof we op telepathische wijze ergens beseften dat dit om wel duizend onuitgesproken redenen nooit meer mocht gebeuren, ook al hielden we op een heel speciale manier van elkaar.

We dronken koffie en thee, douchten de geheimen van de

afgelopen nacht van ons af en Jannie bracht me terug naar het opvanghuis. Slechtgehumeurd zat mijn pr-machine op me te wachten. Ik was er nog nooit niet geweest als de kinderen wakker werden, en hun ontvangst was niet leuk. Ze vlogen in mijn armen alsof ik maanden was weggeweest. Er werd veel geknuffeld en gezoend, maar ze leken mijn ogen te ontwijken, alsof ik ze had verraden. Toen we samen de bedden op gingen maken en onze kamers opruimden, werden ze weer een beetje zichzelf, maar het leek wel alsof er nog steeds een ongemakkelijke spanning tussen ons hing.

Telkens weer beloofde ik dat dit nooit meer zou gebeuren, en dan knikten ze heel lief instemmend, maar ik voelde me vreselijk schuldig dat ik ze zo lang achter had gelaten. We aten speciaal vissticks tussen de middag met *chocolate fingers* toe en toen de tijd kwam voor een middagslaapje, rolden we ons samen in elkaars armen op mijn grote bed, en tegen die tijd hadden ze het me denk ik helemaal vergeven. De dagen daarna lette ik erop dat ik ze steeds vertelde waar ik ieder moment van de dag was en binnen de kortste keren vergaten ze het hele incident.

Zij wel.

Jannie en ik hadden het nooit met zo veel woorden over die ene nacht, maar af en toe liepen onze gesprekken toch in die richting. Jannie vond het heel onprofessioneel van zichzelf, enerzijds omdat ik aan haar zorg was toevertrouwd en anderzijds omdat ik haar onderzoeksobject was.

En dan waren er nog de gevoelens.

Jannie was praktisch tien jaar ouder dan ik, en had derhalve meer ervaring met seksuele uitingen en verhoudinkjes tussendoor. Ze wilde me niet kwetsen, maar ze was in de verste verte niet van plan de verhouding op intieme voet voort te zetten. Daarbij bekende ze ook nog dat ze magie uitoefende, en dat de plank die gevallen was toen we het bed opmaakten, haar altaar was. Al met al zat ze er behoorlijk mee in haar maag. Maar bij mij was het idee niet eens opgekomen dat het mogelijk was haar tijd of gevoelens te claimen vanwege wat er was gebeurd, en dat vertelde ik haar ook; afgezien van de normale vriendschap verwachtte ik absoluut geen duurzaam soort verhouding met haar. Bovendien had ik geen enkel groot of ongepast geheim over mijn levenswandel te onthullen, dus ik zei haar dat ze zich niet te veel zorgen moest maken.

Het was een prachtige ervaring geweest, klaar.

Het was natuurlijk niet iets om met de andere vrouwen in het opvanghuis te bespreken, zowel de bewoonsters als het personeel zouden het om allerlei redenen afkeurenswaardig vinden. We sloten een pact: we zouden gewoon op de oude voet verder gaan en het zou in onze herinnering blijven bestaan als iets speciaals dat ons met elkaar verbond. Voordat ze bij het opvanghuis wegging, zou Jannie ook aan de wieg staan van het volgende hoofdstuk van mijn avonturen en ook haar magie bleef ons binden; daarover heeft ze me heel veel geleerd. Na al die jaren hebben we nog steeds contact en ik heb nog altijd het gevoel dat ik nooit echt iets terug heb kunnen doen voor de liefde en vriendschap waarmee ze me in die tijd heeft omringd.

Eigenlijk denk ik dat ik door haar een links krijswijf ben geworden, of in ieder geval was zij degene die me heeft geholpen er een te worden. Ongeveer een week nadat we uit waren geweest, in een bespreking met Jannie, Nick, Jacky en mijzelf, besloten we dat het te gevaarlijk zou zijn om mij meteen zelfstandig een huis te laten betrekken omdat de clan van mijn man de hele stad door krioelde op zoek naar mij. Ze hadden advocaten en de politie lastiggevallen met tientallen verzonnen verhalen om me terug te krijgen. Ze zeiden dat ik de juwelen van de familie had gestolen; wat gouden spullen die mijn moeder mij bij mijn huwelijk had gegeven. Van alle stukken stonden de bonnetjes op mijn naam, net als de verzekering. Mijn moeder bevestigde dat de juwelen van mij waren, waarop de politie de clan vertelde dat ze zich niet met andermans zaken moesten bemoeien. Vervolgens vertelde zijn familie aan de advocaten dat ik gek was en dat ik heel lang ziek was geweest na het verlies van mijn derde kind, hetgeen klopte, maar ze voegden eraan toe dat mijn hormonen helemaal overhoop lagen en dat ik waarschijnlijk mijzelf en de kinderen iets aan zou doen.

Een hele aardige vrouwelijke psycholoog van de politie kwam langs voor een gesprek met mij en de kinderen, en verklaarde mij volledig gezond.

Uiteindelijk gaven de autoriteiten mijn schoonfamilie te kennen dat ze aangeklaagd zouden worden voor het doen van valse aangiftes, als ze niet op zouden houden hen lastig te vallen met die krankzinnige beschuldigingen.

Toen ging zijn familie ondergronds. Aangezien ze met zovelen waren, ging het nieuws van mond tot mond door de stad als met trommels door de jungle. Overal in de stad zitten Aziatische taxibedrijven en een foto van mij en de kinderen was onder hen verspreid. Het werd tijd voor mijn Verdwijnknopje. Jackie stelde voor dat ik misschien beter naar een andere stad kon verhuizen, iets noordelijker.

Ik wilde de stad niet uit en ik was net bezig Bristol echt te ontdekken. En wat ik ontdekte beviel me goed en ik had veel vrienden gemaakt; een aantal van de vrouwen had me hun adres gegeven als ze teruggingen naar huis, wat ik had aangegrepen om langs te gaan en koffie te drinken of een keertje met ze te winkelen. Ik voelde er niet veel voor om helemaal opnieuw te beginnen in een andere stad. Jannie bracht te berde dat dat misschien wel precies was wat de familie van mijn man verwachtte, en dat de Aziatische netwerken het hele land bestreken.

Het slimste was om te verhuizen, maar niet te ver weg, en terug te keren naar het zuiden van Bristol, waar nauwelijks Aziaten woonden, als de zaken een beetje waren bekoeld en ze er genoeg van hadden me te zoeken.

Dit klonk prima, maar waar was dat; dicht genoeg bij Bristol om contact met mijn vrienden te kunnen houden en ver genoeg weg om veilig buiten hun bereik te zijn?

Jannie wist wel een plek.

Het was een groot kraakpand. Oorspronkelijk het voornaamste huis van een heel klein dorpje, maar nu eigendom van de GG&GD van Avon. Vroeger hadden er verpleegsters gewoond die in Bath hun opleiding volgden. Het was twintig minuten rijden met de streekbus en lag pal aan een secundaire weg, zo'n tien kilometer van Bristol de ene kant op en tien kilometer van Bath de andere kant op, prima. Jannie wist niet zeker of er genoeg plaats was voor mij en de kinderen, maar ze zou bellen om het te vragen. Na een bezuiniging op het budget had de gezondheidszorg het gebouw gesloten. Een groep krakers had het gebouw daarna overgenomen.

Wat kraken was, wist ik toen nog niet.

Het duurde wel even voor ik kon bevatten dat mensen gewoon een gebouw in konden lopen en er konden gaan wonen, zolang ze maar geen geweld gebruikten en zolang er maar geen sporen van bewoning te zien waren geweest. Zelfs als de eigenaren op de proppen kwamen met nieuwe huurders, of een andere goede reden aan konden voeren, zoals renovatie, verkoop of allebei, moesten ze nog steeds in de rechtszaal vechten voor een uitzettingsbevel. Pas na drie weken van zorgvuldige voorbereiding en heel veel peptalk was ook ik ervan overtuigd dat dit het beste voor me was.

Twee weken voor Kerstmis propten we ons opnieuw in Nicky's krakkemikkige oude Volkswagen. Dit keer reed hij ons naar ons nieuwe thuis, Saltford Manor.

4
Saltford Manor

Tegen het eind van de middag kwamen we aan; de schemering had al ingezet. De koplampen van de auto zwiepten over de oprijlaan om uiteindelijk het grote, indrukwekkende gebouw voor ons in de spotlights te zetten. De hoofdingang werd nooit gebruikt omdat de deuren zo groot waren, de enorme sleutel waarmee ze van het slot konden hing er binnen als een versiering naast.

Nick en Jackie bleven voor het rondje door het huis en een kop koffie, terwijl John de dichter de huisregels uitlegde. Er woonden negen volwassenen en drie kinderen in het huis. Vijf anderen maakten gebruik van de keuken en de badkamers en woonden in wagens op het landgoed aan de zijkant bij de boomgaard. Er waren altijd wel een paar gasten, geliefden of vrienden die af en toe langskwamen en bleven slapen.

Het gebouw telde veertien grote kamers, een enorme keuken en een woonkamer met een piano, een pingpongtafel, een vast podium en een schitterende reeks openslaande tuindeuren. Ik had nog nooit zo'n grote eettafel gezien als die waar we nu onze koffie aan zaten te drinken. Tot twintig mensen konden er aanschuiven, en de meeste avonden deden ze dat ook.

Koken, boodschappen doen en schoonmaken gingen volgens rooster en op elke verdieping waren er één of twee badkamers plus in elke kamer een wastafel, die erin was gezet toen het nog een verpleegstershuis was. De generator in de kelder draaide op olie en zorgde ervoor dat het huis van niemand afhankelijk was voor verwarming en elektriciteit.

John was heel erg vriendelijk, en toen we eenmaal afscheid hadden genomen van Nick en Jackie, met alle beloften om contact te houden en zelfs een paar tranen, zette hij nog een pot thee en hielp mij eerst de kamer van de kinderen schoon te maken, en daarna de mijne.

De eerste nacht zouden de meisjes en ik in één kamer moeten slapen, omdat we nog geen meubels hadden. Onze wonderbaarlijke voorzienige, de sociale dienst, zou mij over een week (als ik mijn aanvraag naar het kantoor in Bath had omgezet) een bedrag geven voor bedden en linnengoed, plus een opslag op ons wekelijkse inkomen vanwege de extra wasserijkosten omdat de kinderen zo nu en dan in bed plasten.

Natuurlijk plasten mijn kinderen helemaal niet in bed, maar ze zeiden dat je op het formulier 'ja' moest invullen bij zo veel mogelijk ongemakken en problemen, omdat je dan meer geld kreeg.

Ik loog niet helemaal, want als je de formulieren eerlijk invulde, kreeg je waarschijnlijk nauwelijks genoeg om te eten.

De bewoners van Saltford die een uitkering hadden, betaalden een volle huur aan de GG&GD, die het met de krakers op een akkoordje had gegooid. De krakers hadden zich op hun beurt in een woongroep georganiseerd. Deze regeling kwam de GG&GD goed uit omdat er niet genoeg geld was om iets met het gebouw te doen en een beetje extra inkomen altijd van pas kwam als er een commissie opgericht moest worden om te besluiten wat er dan wel met het gebouw moest gebeuren.

Ook de krakers voeren er wel bij, omdat de huursubsidie-instantie, die de huur betaalde voor degenen die geregistreerd stonden, geen vragen stelde over de hoogte van het uitbetaalde bedrag, zolang het maar niet het maximaal toegestane bedrag per persoon overtrof. Huursubsidie werd nooit rechtstreeks aan de aanvrager betaald, dus we konden toch niets met het geld, met als gevolg dat alle uitkeringsgerechtigde bewoners van Saltford het volledige bedrag aanvroegen, zonder dat ze op hun uitkering werden gekort. Het totale huurbedrag dat na huursubsidie nog moest worden betaald, werd vervolgens in gelijke delen door de andere bewoners gedragen, of hun inkomen nu zwart of wit was, want veel was het toch bijna nooit.

Net als de sociale dienst en kraken, vormden zwart en wit geld ook weer een van die rare mythes die ik pas vele jaren later zou begrijpen; ik dacht dat geld alle kleuren kon hebben behalve zwart en wit, maar het zou diverse hoofdstukken vergen om er echt helemaal op in te gaan. Op Saltford was een soort gemeenschappelijke huishouding en we hielpen elkaar om er het beste van te maken en dat verschilde uiteindelijk niet zo heel veel van de sikh-gemeenschap waar ik vandaan kwam. Van het samenleven met deze krakers leerde ik veel dingen die me later zouden helpen om greep te krijgen op de grote boze buitenwereld waarin ik had besloten de rest van mijn leven te slijten.

Tot dan toe had ik vooral contact gehad met vrouwen uit de Westerse wereld. Op Saltford kwam ik voor het eerst in mijn leven ook met Westerse mannen in aanraking. Voor het vertrek hadden we in het opvanghuis gegeten, dus er was niet echt een aanleiding om die eerste avond al kennis te maken met de andere huisgenoten. Na het schoonmaken van de kamer en het opduikelen van een reservematras, was John de dichter vertrokken, waarop wij in onze kleren bij elkaar kropen onder één enkele deken met de rest van onze kleren en onze jassen daaroverheen; nog even praatten we zachtjes, totdat we de hele nacht knock-out gingen.

De volgende ochtend vroeg kwam de pr-machine in beweging. Ze mochten van mij een beetje rondlopen, zo lang ze maar voorzichtig waren als ze de trap op klommen en niemand voor de voeten liepen.

De meiden waren de avond daarvoor vrij gelukzalig in slaap gevallen, maar ik moest nog even snikken en nadenken om de vele nieuwe angsten die me bekropen te overwinnen.

Een uurtje later verschenen ze aan mijn voeteneinde met nog een meisje van een jaar of tien. Het meisje zei dat ze Rosie heette en dat ze een kop thee voor me had. Ze gingen alledrie op het bed zitten terwijl ik de vreemdsoortige lauwe vloeistof dronk die ze zelf voor mij gemaakt hadden, en die een suikervoorraad bevatte voor minstens een halve maand. Rosie was een schattige kleine kletskous met een uitzonderlijk bleke huid, donkerbruine haren en ogen, en een beetje een wipneusje; ze nam Vinny en Arie ogenblikkelijk onder haar vleugels. Toen ik informeerde of er ook volwassenen waren geweest die toezicht hadden gehouden bij het thee-maken, zeiden ze – of beter gezegd – zei Rosie van wel. Ik ging naar de badkamer en waste mezelf wakker, waarop het kleine trio me naar de keuken vergezelde. De kinderen hadden al met Rosie ontbeten.

De keukentafel leek wel een slagveld. Robbin, een van de wagenbewoners, zat aan de met jam en cornflakes overdekte tafel een krant te lezen. Beleefd knikte ik goedemorgen en begon de rotzooi op te ruimen. Een vrouw, Sarah, zweefde heel kort voorbij in een lange rode ochtendjas en gaf geen antwoord op mijn groet, noch op die van de kinderen en van Robbin. Toen de vrouw voorbij was gegleden, maakte Rosie voor de andere kinderen rare cirkelbewegingen met haar vinger en wees naar haar voorhoofd. Robbin schudde zijn hoofd tegen Rosie en deelde op nuchtere toon mee dat Sarah het moeilijk had. Toen legde hij zijn krant neer en stelde zichzelf behoorlijk voor door zijn naam te zeggen en zijn hand uit te steken. Hij was heel erg Brits en had een licht Yorkshire-accent, een licht gelaat en was stevig gebouwd. Hij woonde in een omgebouwde mobiele bibliotheek in het zijpad langs het hoofdgebouw, die naar de schuren en de boomgaard leidde. Ik was altijd welkom voor een kop thee of om een kijkje te nemen, hij had net een nieuwe kachel in de wagen gebouwd, omdat de oude het na vijf jaar trouwe dienst had opgegeven. Vervolgens ging hij naar een motorspullenveiling in de buurt om te kijken of hij iets nuttigs op de kop kon tikken.

Inmiddels kwamen er steeds meer mensen de keuken binnendruppelen, want dat was 's ochtends het warmste vertrek. Bewoners die vroeg opstonden om naar hun werk te gaan hadden het vuur daar al lekker opgestookt. Ondanks de centrale verwarming stak iedereen daarna toch uit pure noodzaak ook de open haard in zijn eigen kamer aan.

Het was een reusachtig en tochtig gebouw, 's avonds als in bijna iedere kamer een vuurtje brandde was het gezellig, maar de winterochtenden waren vreselijk koud. John de dichter, Mary de mystica en Nobby, nog een wagenbewoner, iets later gevolgd door Martin, de vriend van Sarah en een van de weinige 'normale' bewoners, kwamen binnen en begonnen hun ontbijtrituelen.

Ik koesterde mijn iets warmere tweede kop thee en keek toe.

Een voor een kwamen ze op me af en stelden zich voor. Mary liet me zien waar alles stond en bood me iets te eten aan. De meeste dingen die ze voor het ontbijt klaarmaakte had ik, zoals ik moest toegeven, nog nooit gegeten, zoals alfalfa, havermout en gedroogde vruchten met yoghurt en honing. Maar ik kon me ook niet voorstellen dat zij ooit curry als ontbijt had genuttigd en daar moesten we om lachen. Voorlopig hield ik het maar bij geroosterd brood. Mary was heel aardig en had daar alle begrip voor.

Opeens besefte ik dat de kinderen waren verdwenen.

Even voelde ik een lichte paniek, maar iedereen verzekerde me dat het terrein goed was afgesloten. Nobby liep met me mee de tuin in terug naar zijn wagen, die naast nog vier bontgekleurde voertuigen stond, en hij liet me de schuren en de boomgaard zien.In de boomgaard stond een kippenhok en je moest goed opletten dat je het hekje sloot dat naar de tuin met appelbomen, perenbomen en bramenstruiken leidde, anders vielen de honden de temperamentvolle kippen aan, waarna deze laatsten geen eieren meer wilden leggen. In totaal waren er drie honden, de zwarte labrador woonde bij Robbin en heette Set, Nobby was de eigenaar van de Ierse bulterriër en het rare vuilnisbakkenrasje was van Jane en haar zoontje Danny van twee.

Rosie, Vinny en Arie bevonden zich in wat we de echte tuin noemden, een ommuurd gedeelte van het landgoed achter het hoofdgebouw. In de muur achter in de tuin zat een tweede toegangsdeur die bij de geparkeerde wagens uitkwam. Door een van de ramen van de raarste wagen was een donkere, schimmige figuur te zien. Het was Charlie de schoorsteen, vertelde Nobby me. Hij kwam nooit het huis in, of in ieder geval bijna nooit en hij sprak met niemand, of in ieder geval met bijna niemand.

Het was niet dat hij niet tot praten in staat was, hij was niet stom of dom, maar hij vond al die blabla maar overbodig, van die oppervlakkige wereldse formaliteiten en hij hield de eer aan zichzelf, zo simpel was het. In wezen was hij zelfs verre van simpel en het gerucht ging dat hij ooit een bijzonder beroemd wetenschapper was geweest. Om een of andere reden had hij zijn huis en baan opgegeven en was hij in die rare wagen gaan wonen en over het platteland gaan trekken. Af en toe reisde hij mee met het 'Convoy', een groep mensen die in wagens of caravans wonen en samenkomen om allerlei heidense en semi-religieuze feesten te vieren bij oude plekken van betekenis, zoals Stonehenge bijvoorbeeld.

Het zijn geen Roma of Sinti, maar een soort new-age-zwervers. Boeren en de politie hebben een hekel aan ze en bestempelen ze als drugsdealers, omdat ze zich over de grenzen van privé-terreinen toegang verwerven tot de plekken voor hun rites, iets waar ze naar eigen zeggen van oudsher recht op hebben. Charlie was een heel goed voorbeeld van dit aparte volkje. Hij kwam naar buiten en staand voor zijn wagen begroette hij ons door glimlachend zijn hoed af te nemen. Vervolgens wees hij met zijn vinger naar de meisjes die onder de enorme bomen aan het spelen waren en gebaarde dat alles in orde was door zijn duim op te steken. Nobby was er eentje van dezelfde soort, en lachend liep hij weg, zijn eigen kant op.

Ik stond te bevriezen van de kou en ging terug naar de keuken voor nog wat thee. De mannen in de tuin leken meer vrede met hun bestaan te hebben dan de mensen die in het huis zelf leefden en binnenkort zou ik voor het eerst de spanningen meemaken die het gemeenschapsleven met zich meebracht. In het opvanghuis was er af en toe wel eens heibel omdat een van de vrouwen de melk van iemand anders had opgemaakt of per ongeluk iets had geleend zonder toestemming van de eigenaar. In dit huis heerste een ander soort anarchie, waarvan ik aanvankelijk helemaal niets in de gaten had. De bewoners stonden altijd op scherp om hun overtuiging hartstochtelijk te verdedigen. Een stormvloed van citaten vloog altijd door de lucht als er iets moest worden onderbouwd. Wie het hardst schreeuwde, schreeuwde het laatst en had gelijk. John de dichter, die was afgestudeerd in theologie, filosofie en literatuur, vertelde me ooit dat het er in de Griekse volksvergaderingen net zo aan toe moest zijn gegaan als soms in onze keuken.

Die ochtend kregen we allemaal een klein stukje papier van Janice, de moeder van Rosie. Ze zat aan tafel, haar rug naar de andere huisgenoten in de kamer gekeerd, haar hoofd begraven in een groot dik boek. Op tafel voor haar lag een stapel fotokopieën die ons allemaal opriepen voor een belangrijke huisvergadering.

Toen ik naar het enorme achtpits gastoestel liep, schoot haar arm voor me langs, terwijl haar hoofd onwrikbaar over haar boek gebogen bleef. Ik begreep het gebaar niet, ik wist niet eens wie ze was of waarom ik het papiertje aan zou moeten pakken, dus bleef ik staan en verontschuldigde me, om redenen die eigenlijk alleen Britten begrijpen. Het lijkt wel alsof we altijd hetzelfde doen: als je twijfelt en niet weet wat je moet zeggen, zeg je 'sorry'.

Op haar beurt verontschuldigde ze zich eveneens. Ze stelde zich voor en vroeg of ik de nieuwe bewoner was, over wie ze het de afgelopen vergadering hadden gehad. Dat bevestigde ik en ik stak mijn hand uit: Mandy.

Martin ging weg om boodschappen te doen – hij moest die dag koken – en John ging weg om bij de kinderen in de tuin inspiratie op te doen.

Mary hing zo'n beetje rond, maar leek niet in voor een gesprek, Janice daarentegen was wel bereid een babbeltje met me maken. Het woord 'huisvergadering' stond in een vet lettertype bovenaan op het stukje papier dat ik eindelijk had aangepakt, met onder de kopregel van de agenda de woorden 'dieren', 'eigenaren' en 'poep'.

Dit moesten dus de onderwerpen zijn van onze volgende huisvergadering, waar Janice vanavond de aandacht voor vroeg omdat haar geduld en tolerantie ten einde waren. Ik luisterde heel beleefd, om erachter te komen dat Janice studeerde aan de faculteit van sociale wetenschappen. Ze moest erg hard werken en ze voedde haar dochter Rosie helemaal in haar eentje op.

Ik keek af en toe even naar Mary, die nog steeds wat rondrommelde en als onze blikken elkaar troffen, maakte ze een soort vreemde rolbewegingen met haar ogen, of ze deed alsof ze gaapte door haar hand voor haar mond te houden. Janice zat nog steeds met haar rug naar het grootste deel van de keuken en leek zich niet zo te realiseren wat Mary aan het doen was, maar ik weet zeker dat ze het wel wist.

We dronken een paar koppen thee, en toen moest Janice weg voor een belangrijke lezing over het recht van vrouwen op geschiedenis. Met alle reistijd erbij zou ze waarschijnlijk te laat zijn voor het eten, maar op tijd voor de vergadering daarna. Toen ze richting deur liep, zei Mary eindelijk iets, niet rechtstreeks tegen Janice, maar tegen de hele keuken in het algemeen, ze vroeg wat ze vandaag met Rosie moesten aanvangen. Daarna spogen de twee vrouwen een hele stortvloed van beledigingen uit over elkaars vermogen om kinderen op te voeden, met zo'n snelheid dat ik het nauwelijks bij kon houden. Janice zei dat haar onrecht werd aangedaan omdat ze een alleenstaande moeder uit de arbeidersklasse was, zonder steun van vrienden of familie.

Mary zou, zo luidde een van de beschuldigingen van Janice, de manier ondermijnen waarop ze Rosie leerde om onafhankelijk te zijn, en ze verzekerde Mary dat er voor Rosie genoeg te eten was en dat ze tussen de middag heel goed iets voor zichzelf klaar kon maken. Er waren genoeg mensen die vandaag thuisbleven om een oogje in het zeil te houden als ze hulp nodig had.

Mary schreeuwde terug. Als Janice niet heel snel een school zou vinden waar het kind naartoe kon, dichtbij of in de stad, zoals ze nu al drie maanden lang beloofde, zolang als ze in dit huis woonden, dan zou ze de juiste instanties alarmeren omdat Janice haar kind verwaarloosde.

Zo raasden ze nog een tijdje door, zodat ik ontdekte dat Mary ook een dochter had van ongeveer dezelfde leeftijd als Rosie, die Sophie heette en door de week in Bristol logeerde bij een klasgenootje zodat ze naar school kon gaan. In de weekends, zo mocht ik vernemen, kwam ze terug en Mary ging haar drie keer per week opzoeken, zodat de dochter zich geliefd zou voelen door haar moeder.

Janice verweerde zich door te betogen dat Sophie juist verstikt werd door dit soort burgerlijke verwennerijen en dat de situatie van geen kanten vergelijkbaar was.

Toen Janice de kamer uitging zette Mary de conversatie nog eens op scherp door te zeggen dat Janice alleen maar naar de stad ging om te kijken welke docent ze dit keer op kon pikken om haar kostbare titel bij elkaar te neuken.

Ik zat doodstil en had nog steeds geen enkel vermoeden van wat er in godsnaam aan de hand was.

Het volgende halfuur werd ik door Mary uiterst grondig ingewijd in alle huisroddels. Niets en niemand bleef daarbij gespaard. Janice stond bovenaan op haar lijstje, op korte afstand gevolgd door Xavier, haar vriend voor af en toe, een Colombiaan die oorspronkelijk het huis had gekraakt en een van de grondleggers was van de groepering achter de kraakbeweging in en rond Bristol.

Ik moest maar heel goed oppassen voor zijn Latino-trekken en zijn charmante uitstraling.

Aan haar manier van praten kon je horen dat zijzelf al aan beide ten prooi was gevallen.

Dan had je nog John, Martin en Sarah, alledrie net terug van een reis van een jaar naar het oosten, eerst naar India en toen naar Australië. John ging nog, maar Martin, een kinderpsycholoog die 's nachts in een tehuis voor moeilijk opvoedbare jongens werkte, en zijn vriendin Sarah, die een vreselijke cultuurshock doormaakte, waren zo ontzettend 'normaal' – wat ze daar ook mee bedoelde – het stel woonde maar tijdelijk in het pand en zou samen een appartement in de stad zoeken. Zukie en Pablo kwamen respectievelijk uit Zweden en Spanje, en zaten nu in Wales, waar ze fruit plukten of zo om geld te verdienen want ze waren allebei illegaal en ze konden geen echte baan vinden.

Jane was Iers en zij was nu bij vrienden op bezoek met haar zoon Danny en Dummy, die rare hond van ze. Ze zouden dit weekend terugkomen. Katie was een Engels engeltje wiens vader een of andere pettenfabriek runde in Yorkshire, en die haar kamer in het huis voornamelijk aanhield om indruk te maken op haar trendy vrienden. Pete kon maar niet kon beslissen of hij lid zou worden van het filmgenootschap van Bristol of van dat van Bath. En dan Fanny: ook al weer zo'n rare. Ze was de oudste bewoner, in leeftijd dan, en niemand vond haar echt onaardig, maar niemand was ook echt dol op haar. Over de mannen in de tuin had Mary weinig te melden, ze deugden wel zo ongeveer.

5
Een lange nacht

We werden onderbroken doordat John terugkwam met de kinderen, die er ijskoud uitzagen en iets warms te eten en te drinken wilden. Na de lunch gingen John en ik hout halen uit de schuur, gezaagd en opgeslagen door Mary's nieuwe vriend Hans de houthakker, een Duitser die deze dagen bij zijn ouders zat. Daarna maakte ik de haard aan, zowel in de kinderkamer als in de mijne. De rest van de dag lazen we verhalen en speelden we verstoppertje, met een kleine siësta halverwege.

Martin kwam terug met de boodschappen, en Robbin met dozen vol van iets dat eruitzag als rotzooi, maar in feite een waardevolle schat bleek te zijn. De kinderen hielpen Robbin met het uitzoeken en schoonmaken van zijn buit, en ik hielp Martin met het uitpakken van de groente en de voorbereidingen voor het avondeten.

Sarah zweefde opnieuw voorbij en bleef zo lang in de keuken dat ze van Martin een uitbrander kreeg omdat ze niet in de krant naar een huis ging zoeken of wat eten voor zichzelf ging maken, waarop ze weer doorzweefde, net zo geluidloos als ze gekomen was. De boterham en de thee die Martin voor haar gemaakt had, raakte ze niet aan, en de zorgen over haar stemden Martin somber. Hij moest die avond weer werken en was bang dat ze alleen maar achteruitging en zichzelf iets aan zou doen als daar niet gauw verandering in kwam. John en ik beloofden dat we op haar zouden passen en we besloten dat we een plan moesten maken: als het nog slechter met haar zou gaan, dan zouden haar ouders haar, zo vreesde Martin, op kalmeringsmiddelen laten zetten of haar naar een kliniek sturen, en dat leek hem geen goede oplossing. Ook al zouden haar ouders zoiets alleen doen met de beste bedoelingen van de hele wereld.

Martin was zelf psycholoog en hij wist dat Sarah niet geestesziek was. Haar problemen waren volgens hem van tijdelijke aard. Kerstmis stond voor de deur en Sarah zou thuis acte de présence moeten geven. Als haar ouders zouden twijfelen aan haar gezondheid en haar geluk, dan kon ze een terugkeer naar het huis en naar Martin wel vergeten.

Martin en John waren sinds hun studietijd bevriend, Sarah kwam uit een stadje in de buurt van de universiteit. Martin leerde haar kennen op een feestje, twee weken voordat hij als beloning voor het afstuderen met een groep vrienden het grote avontuur in het oosten op zou gaan zoeken, en hij vroeg haar meteen of ze meeging. Ze was nog maar negentien, en haar familie reageerde weinig enthousiast op haar plan om een heel jaar weg te gaan met een jongen die ze net had leren kennen. Ze haalde haar spaargeld van de bank en de twee geliefden waren min of meer van de aardbodem verdwenen.

Het leek wel een boek, zo romantisch.

Martin en John wisten door hun reis ook veel van de sikhs en het was heerlijk om over de details van mijn geloof te kunnen praten met mensen die er in de praktijk kennis mee hadden gemaakt. John dacht dat het in de toekomst zou kunnen uitgroeien tot een voorname religie. Martin bewonderde de gedisciplineerde en bijna Spartaanse levenswijze.

Ik vond ze allebei heel lief, maar naïef.

Geen van beiden kon zich ook maar in de verste verte voorstellen wat het was om als vrouw in een ontheemde sikh-gemeenschap in Engeland op te groeien. Ze hadden een klein beetje boekenwijsheid en vakantiewijsheid opgedaan over een geloof dat zoals veel andere geloven op het punt stond een revolutie door te maken.

Die avond hadden we het eerste van onze hele reeks bijzonder fascinerende gesprekken over religie. Tegen de tijd dat het eten klaar was, waren we de beste vrienden geworden. Het zou mijn taak worden om met Sarah elke dag de kranten door te nemen op zoek naar een baan en een huis. John zou ervoor zorgen dat ze niet in haar eentje 's avonds rondzwierf of in de auto stapte.

Het eten stond op tafel. Iedereen had inmiddels de aankondiging voor de huisvergadering ontvangen en de conversatie was gedempt. De huisgenoten zonder dieren waren het er wel over eens dat er iets moest gebeuren en er was een soort stiekeme bewondering voor de directheid waarmee Janice de vergadering bijeen had geroepen. Ik had een beetje medelijden met Rosie: iedereen sprak namelijk vrij openlijk over de manier waarop Janice het kind zou verwaarlozen.

Na het eten besloot ik Rosie te vragen of ze bij Vinny en Arie wilde gaan liggen. Die zouden het misschien een beetje eng vinden om voor het eerst helemaal alleen in hun nieuwe kamer te slapen. Er was nog een matras gevonden en ik zou vannacht naar mijn eigen kamer gaan, een trap hoger dan de meisjes, dus ik loog niet helemaal, maar mijn voorstel was meer omwille van Rosie dan omwille van mijn eigen kinderen.

Vinny en Arie waren als een Zwitsers horloge; zolang het maar geen tijd was om te eten of te spelen, sliepen ze net zo makkelijk door hele bombardementen heen. Ze waren nog te klein om bang te zijn voor spoken of voor onbekende plekken. Rosie was een en al enthousiasme, want het betekende dat ze de baas kon spelen over de twee kleintjes en dat ze aandacht kreeg, in plaats van dat ze tot haar moeders thuiskomst bij de volwassenen moest zitten met hun saaie gesprekken en hun gewoonte om haar te negeren of de les te lezen.

Rosie was een lief kind. Bij Arie en Vinny deed ze zich soms heel volwassen voor: met haar vingertje gaf ze de meisjes zogenaamd streng op hun kop. Ze werd hun aanvoerster en muze, en inspireerde ze tot kleine plundersessies in de keuken om koekjes en dergelijke te gappen om hun geheime verstopplaatsen en luchtkastelen overal in huis te bevoorraden. De kinderen kregen een zaklamp van Robbin en Martin gaf ze een grote geheime voorraad snoep, zodat ze midden in de nacht een feestje konden vieren.

Ik zette een scherm om de nog nagloeiende resten van het vuur en stopte ze in. Toen ik terugkwam in de keuken, was Fanny er opeens. Bij het avondeten was ze niet verschenen en ik had haar overdag niet gezien, dus ik dacht dat ze er niet was. Zoals meestal bleek ze de hele dag in haar kamer te zijn geweest, ze sliep de hele dag om laat in de avond wakker te worden en leidde een merendeels nachtelijk leven.

Ze droeg een enorme groenfluwelen jurk met vleermuismouwen en borduursel aan de randen en pronkte met een tulband van aluminiumfolie op haar hoofd. Voor haar leeftijd – ze was vijftig – zag ze er nog goed uit. We stelden ons aan elkaar voor en ze bood meteen aan de Tarot-kaarten voor me te leggen. Ik sloeg haar aanbod beleefd af en zei dat ik nog nooit een kaartspel had gespeeld, waarop zij in lachen uitbarstte, net als de anderen.

Mary sloeg haar arm om mijn schouder en zei dat ze niet om mij lachten, maar om mijn onwetendheid. Deze mededeling stelde me niet bepaald op mijn gemak en ik vroeg wat er nou zo grappig was aan wat ik had gezegd, maar antwoord op die vraag kreeg ik nooit. Xavier en Janice kwamen thuis. Fanny mompelde iets over Bonnie en Clyde, en nadat ze een fles wijn, crackers en kaas uit de ijskast had gegrist, verdween ze weer naar haar kamer.

Dus waren alleen Martin, Nobby, John, Robbin, Mary, ik-zelf en de net aangekomen Xavier en Janice over voor het begin van de huisvergadering. In het begin voerde Xavier nog aan dat er misschien niet genoeg huisgenoten aanwezig waren om de agenda netjes af te handelen. Zo was bijvoor-beeld geen van de poezenbezitters aanwezig, en maar twee hondenbezitters, en aangezien de vergadering speciaal werd gehouden vanwege de dieren, hun eigenaren en poep, leek het hem beter de vergadering te verzetten naar een geschik-ter tijdstip. Janice bracht daartegen in dat het enige wat het tijdstip voor hem ongeschikt maakte, waarschijnlijk was dat de kroeg in de buurt over een uur dichtging, en dat hij misschien wel helemaal niet geïnteresseerd was omdat hij geen dieren had en toch bijna nooit thuis was; bovendien was zijn kamer op de derde verdieping, zodat hij überhaupt niet over de poep heen hoefde te stappen als hij zijn kamer in en uit ging omdat die kutbeesten alleen de trappen bij de hoofdingang als hun plee leken te gebruiken, pal voor haar kamer en die van Zuki.

Deze bewering klopte volkomen. Ik had de vorige avond tijdens de ronde met Nick en Jackie vele kleine hoopjes op-gedroogde uitwerpselen zien liggen, en een aantal heel vers ogende drollen ontweken. Het centrale trappenhuis zat he-lemaal onder. Martin voegde daaraan toe dat Jane, vanwege haar hond Dummy, de enige afwezige huisgenoot was die echt van invloed kon zijn op de vergadering. Sarah had twee katten, Lucifer en Kloon, en hij zou hen vertegenwoordigen, Mary kon voor haar dochter Sophie spreken, die de eigena-resse was van Netty, de derde kat, en ze waren allemaal ver-antwoordelijk voor de vierde, die Tam heette, want dat was de huiskat die bij het pand hoorde. De twee hondenbezit-ters, Nobby en Robbin, gaven Martin gelijk en zeiden er zeker van te zijn dat Jane zich aan de uitkomst van de verga-dering zou houden, wat de uitkomst ook zou zijn.

Twee uur lang hadden ze het over wie de trappen moest schoonmaken en wat er kon worden gedaan om ervoor te zorgen dat de dieren hun behoefte niet langer in of rondom het huis deden. Er waren gedetailleerde beschrijvingen te beluisteren van hondendrollen, hun vorm en substantie en heftige debatten over waarom het opruimen eigenlijk ieder-eens taak was. Ik had tot nog toe geen kat gezien, maar dat kwam doordat drie van hen nog maar jonge poesjes waren die moeder Tam verborgen hield in haar nest onder het podium in de woonkamer, omdat ze nog te jong waren om bij haar te worden weggehaald.

De hondenbezitters zeiden dat de poezen de voornaam-ste boosdoeners waren en de poezenbezitters zeiden het-zelfde van de honden. De discussie ging maar door en door en degenen die noch hond noch kat hadden, wilden gewoon dat het nu voor eens en voor altijd werd opgelost.

Deze laatste groep bestond natuurlijk voornamelijk uit Janice.

John bleef maar allerlei filosofische citaten inbrengen en in de korte pauze gingen Robbin en Nobby een paar flessen zelfgemaakte wijn van Charlie halen om de sfeer in de tweede helft wat te versoepelen.

En soepel werd het zeker.

Mary vroeg aarzelend of iemand een trekje wilde.

De blikken dwaalden stiekem mijn kant op om mijn reactie te peilen. Ik glimlachte en liet tussen neus en lippen door vallen hoe stoned ik laatst met mijn vriendin Jannie was geworden, en de anderen zuchtten opgelucht.

Na de derde of vierde joint vroeg Xavier of ik mijn me-ning wilde geven.

Intussen was ik natuurlijk heel erg stoned, en ik weet niet eens meer precies welke woorden ik gebruikte, maar wat ik zei kwam erop neer dat dieren heel gevoelig waren voor sfeer, net als kinderen.

Daarna zei ik iets wat mijn moeder altijd zei, zoiets van 'zelfs het stomste beest bevuilt zijn eigen nest niet'. Conclusie: als de dieren in huis hun behoefte deden, dan kwam dat waarschijnlijk omdat ze aanvoelden dat het huis, of in ieder geval dat gedeelte ervan, niet dierbaar was of gebruikt werd, en dus een plek was waar ze hun gang konden gaan. Ik voegde ook toe dat als Vinny of Arie in huis scheet, dat ik niet het gevoel had dat iemand anders dan ik het op zou moeten ruimen, dus ik vond dat alleen de dierenbezitters de eerste schoonmaakbeurt zouden moeten houden, en dat een regelmatig schoonmaakrooster voor de hoofdingang en het trappenhuis daarna de dieren misschien de indruk zou geven dat de ruimte werd gebruikt en dat het niet voor hen als poepplek was bedoeld.

Het was niet bijster intelligent, en zoals ik zei was ik op dat moment heel erg stoned, maar de reactie op mijn woorden was totale en volmaakte stilte, en wat ik over mijn moeder had gezegd werd als fantastische wijsheid beschouwd.

Een paar seconden later bevestigde Janice dat mijn korte toespraak de meest logische oplossing was die ze de hele avond had gehoord en dat we het maar eens moesten proberen. Toen dit werd opgenomen in de notulen, die door John werden geschreven, was er boven geschreeuw te horen. Mary dacht dat het de huisgeest was en ik stond op het punt naar boven te rennen omdat ik dacht dat het de kinderen waren, toen Fanny de keuken in kwam stuiven, al gillend dat Sarah haar probeerde te vermoorden. Haar jurk met groene vleermuismouwen viel nog maar half over haar lichaam en het bovenste gedeelte hing om haar middel gepropt. Haar haren hingen voor haar gezicht en er sijpelden groenige moddervlokken doorheen die op de vloer vielen toen ze naar haar jurk greep. Ze had Sarah gevraagd om te helpen de henna uit haar haren te wassen nadat ze de folie-tulband had verwijderd.

Sarah had per ongeluk eerst koud water gebruikt, en was toen Fanny protesteerde op gloeiend heet overgeschakeld. Overal op haar schouders zaten pijnlijk uitziende rode strepen en ze stond te snikken van de pijn. Mary nam de nog natrillende Fanny mee naar een van de badkamers beneden om te proberen de rest van de henna met kamillelotion en warm water uit te spoelen, Martin ging op zoek naar Sarah en ik ging even bij de kinderen kijken. Ze lagen in diepe slaap en toen ik op de terugweg bij de tweede overloop kwam, hoorde ik zachtjes snikkende geluiden uit de inloop-linnen-kast naast het trappenhuis komen. Het was Sarah, die opge-kropt, met haar armen om haar knieën, heel zachtjes zat te huilen. Ik ging even naast haar zitten zonder iets te zeggen, en schoof vervolgens iets dichter naar haar toe om te vragen wat er was.

Niemand vindt me aardig, prevelde ze.

Op de achtergrond konden we Martin haar naam horen roepen, dus stond ik op om te melden dat ik haar gevonden had, ik was bang dat hij de kinderen nog wakker zou maken, waarop ze mijn enkel greep en me smeekte om haar niet alleen te laten. Iedereen liet haar altijd alleen, zei ze, en terwijl ik tegen haar sprak, zwaaide ik met mijn arm buiten het pietepeuterige kamertje om Martin te laten weten dat we in de kast zaten, ik hoorde zijn voetstappen namelijk dichterbij komen.

Sarah vertelde me hoe rot ze het in India had gevonden vanaf het moment dat het er koud werd en toen ik haar zei dat ze niet meer in India was, keek ze op met een volledig verwarde blik in haar ogen, en vroeg mij wat ik hier dan deed als ze niet in India was. Martin stak zijn hoofd om een hoekje en Sarah begon opnieuw te huilen. Ik zag dat hij ieder moment in een vraagkanonnade uit kon barsten, legde mijn vinger op mijn lippen en schudde mijn hoofd om hem het zwijgen op te leggen.

Hij beantwoordde mij met een smekende blik en gebaarde vervolgens naar zijn horloge, om aan te geven dat hij naar zijn werk moest. Ik knikte maar gewoon en stak mijn duim in de lucht in een poging hem gerust te stellen, en hij sloop stilletjes weg. .

Sarah en ik bleven nog even in de kast zitten en verhuisden daarna naar mijn kamer, waar ik haar ervan overtuigde dat de storm was geluwd en niemand ons zou zoeken. De kamer was nog wat leeg, maar de opgloeiende vlammen van het vuur verspreidden een troostend licht.

Ik trok de enige matras in de kamer een beetje dichter naar het vuur en liet de lampen uit, de vlammen gaven genoeg licht om bij te praten. Na ongeveer een half uur luisteren van mij en praten van Sarah, dat iedereen op aarde tegen haar was en hoe alleen ze ervoor stond, bood ik aan een kop thee voor ons te gaan zetten. Nog nooit van mijn leven had ik de gevolgen van een cultuurshock gezien. Het arme kind wist van het ene moment op het andere niet meer in welk land ze was. Ze kon een gesprek beginnen over het noorden van Engeland, waar ze was opgegroeid, en halverwege kon haar geest dan zomaar opeens naar het Indiase deel van de Himalaya springen of naar de outback van Australië. De romantiek van haar reizende leven verdween voor mij in een oogopslag. Sarah leed aan zwaar depressieve buien en verwarring, en zou dat nog vele jaren doen, omdat ze maar niet in het reine kwam met de plotselinge reisplannen, die ik onterecht als losjes en zorgeloos had ervaren. De schoonheid van de vorstelijke natuur, samen met de armoede en de gruwelijkheid van het menselijk lijden in het oosten, had deze lieve, zachtaardige jonge vrouw voor het leven getekend. Afgezien van een paar vakanties met haar ouders binnen Europa, had ze nooit echt veel buiten Engeland gereisd. Totdat ze plotseling uit liefde voor een man was vertrokken om midden in het gezicht te worden getroffen door de realiteit en alle rottigheid van de wereld. Martin en John vonden het ongetwijfeld een schitterend avontuur, maar zij hadden vier jaar gestudeerd en hadden de tijd gehad om te plannen, zich in te lezen en zich voor vertrek alvast een voorstelling te maken.

Martin was ontzettend verliefd op haar en zou haar nooit ook maar de minste pijn willen doen, maar zij was heel jong en snel onder de indruk, nog afgezien van haar gevoeligheid en onschuld, en Martin had niet echt rekening gehouden met de mogelijke gevolgen voor Sarah van wat hij vond dat liefde was. Voor haar vertrek woonde ze nog thuis. India was een grote kleuren-, mensen- en virusmassa, als ze niet met hun rugzak van de ene plek naar de andere trokken, waren ze herstellende van dysenterie, buikinfecties en voedselvergiftigingen. De armoede en de ontberingen van de plaatselijke bevolking, vooral de kinderen, hadden haar een fikse optater gegeven. Tegen de tijd dat ze in Australië kwamen, was het geld natuurlijk op en het verdienen van het ticket terug naar Engeland nam zo veel tijd en energie in beslag, dat ze nauwelijks tijd had gehad om eens na te denken over wat ze allemaal had gezien en gedaan. Ze zei dat ze er alleen maar mee om kon gaan door te drinken na werktijd om zichzelf bewusteloos te krijgen, de enige vorm van slaap waar ze mee kon leven. Het drankgebruik sloop de dagen in en tegen de tijd dat ze uit Australië vertrokken, bracht ze tweederde van de tijd dat ze wakker was, dronken door. Eenmaal terug, kon ze natuurlijk niet zomaar doorgaan waar ze opgehouden was. Bovendien hoefde Martin niet meer terug naar het noorden omdat hij niet meer studeerde.

Haar ouders waren al behoorlijk geschokt door haar vertrek naar het oosten met die vent, maar het werd nog erger toen ze niet terugkeerde naar het nest om haar leven daar voort te zetten.

Tjonge, dat beloofde een lange nacht te worden.

Ze bleef maar praten en toen ik voor de vierde keer naar beneden was gelopen om de thee te verversen, en de keuken in duister gehuld aantrof, nam ik op de terugweg alle thee-spullen op een blad mee om verhalenverteltijd te sparen.

Haar indrukken van India verschilden gigantisch van de mijne. Ik was er twee keer in mijn leven geweest, een keer toen ik tien was, en toen nog eens vlak voordat ik met de bommenmaker trouwde. Ik stond er altijd onder toezicht van mijn familie en kwam meestal voor religieuze aangele-genheden, die te maken hadden met de laatste golf van geboortes, sterfgevallen en huwelijken onder familie en vrienden, en kreeg daardoor een mengeling te zien van een sprookjeswereld en geschiedenis.

Ik had steeds in de auto gereisd en gelogeerd bij mensen van mijn eigen soort en dat had mij op de een of andere manier afgeschermd voor de rauwe belevenissen van Sarah, die zich te voet en met de bus had verplaatst, en midden in het hart had geleefd van de Indiase bevolking. Ze had nooit verder geleerd. Haar ouders waren gewone mensen uit de middenklasse en van haar verwachtten ze niet meer dan dat ze haar middelbare school afmaakte en een aardige jon-gen uit de buurt opdeed waar ze zich na een paar jaar mee kon gaan settelen. Het keurige idee van wachten op de ware Jacob om hen vervolgens kleinkinderen te schenken, was in de prullenbak verdwenen toen ze vertrokken was, en nu voelde ze zich hopeloos verloren. Haar leven leek in even veel stukjes gescheurd als het mijne en die avond werden we lachend en huilend bondgenoten. We waren ook onge-veer even oud, wat misschien ook wel een reden was waar-om we ons elkaars situatie voor konden stellen. Ergens rond het ochtendgloren vielen we in slaap.

6

Dromen

De volgende ochtend werden we door de kinderen gewekt met alweer een obscuur thee-aanbod. Sarah was gecharmeerd van Vinny en Arie, en zij waren op hun beurt blij dat ze bij haar konden kruipen om aandacht te vragen. Rosie was teleurgesteld in hun ontrouw en ging met mij mee naar beneden om ontbijt te maken. Terwijl ze me hielp de bekers en kommen op tafel te zetten, praatte ze over van alles en nog wat, tot ze plotseling naar de vader van Vinny en Arie vroeg.

Ik wist niet wat ik moest zeggen en stond perplex van haar wijsheid toen ze er ook nog aan toevoegde dat ze het niet erg vond als ik er niet over wilde praten. Ze was zo slim voor haar leeftijd dat ik me afvroeg hoe het met haar eigen vader zat en wat er met hem gebeurd was. En weer, alsof ze mijn gedachten kon lezen, vertelde ze dat Janice niet over haar vader praatte omdat hij heel gemeen tegen hen deed en op een dag gewoon zomaar was verdwenen; bij de huisvergadering waar ze het over mijn komst hadden gehad, had ze gehoord dat wij ook het slachtoffer van geweld waren geweest en ze zei dat ze nooit ging trouwen als ze later groot was.

Ik voelde een rare, droevige steek en vroeg haar om bij me te komen en me te knuffelen. Dat bracht haar kleine, dappere kijk op de wereld even in de war. Daarna moet ze hebben besloten dat het mij goed zou doen, want ze vloog naar me toe en kneep me bijna fijn. Met z'n allen werden we één grote familie, Rosie, Vinny, Arie, Sarah en ik, voornamelijk omdat we de hele dag samen thuis waren.

Soms voegde Mary de mystica zich bij ons, maar de mannen waren altijd wel ergens mee bezig, dus ook al maakten ze zo nu en dan een praatje tijdens de lunch of zo, ze waren er meestal wel en toch niet. In het weekend kwamen Jane, Danny en Dummy terug, net als Zuki en Pablo zondagavond laat.

Danny was ongeveer even oud als Arie, bijna drie, maar 's nachts droeg hij nog steeds luiers. Hij was een klein verlegen jongetje en het duurde even voor hij eraan gewend was dat er nog twee kleine kinderen in de buurt waren. Als de jongste in huis had hij altijd veel aandacht van volwassenen gekregen, en het was een hele schok voor hem dat hij de concurrentie met Vinny en Arie aanmoest.

Vinny was inmiddels drie en een half, een beetje jongensachtig en ze had een krullerige massa haar die, hoe lang het ook was, nooit verder dan haar schouders leek te reiken. Jurkjes en korte sokjes stonden haar altijd heel schattig maar van begin af aan droeg ze liever korte broeken en T-shirts.

Danny accepteerde haar van meet af aan als vriendje. Arie daarentegen, was heel erg snoezig ook al zeg ik het zelf, en ze had zo ongeveer de harten van alle huisgenoten gestolen, vreemd genoeg vooral die van de mannen. Niemand was ooit onaardig tegen de kinderen, maar het werd al heel gauw duidelijk dat Arie zo ongeveer alles uit kon halen wat ze wilde zonder dat iemand er iets van zei. Dit leidde tot hevige driftaanvallen van Danny en een hele reeks trucs van Rosie om Arie te beschermen. Vinny was natuurlijk nummer twee in dit kleine legertje, en het trio kreeg in het weekend gezelschap van Sophie, die al net zo'n onschuldige toeschouwer was als de rest van ons volwassenen.

Sophie was een vrolijk, mollig meisje met bruin steil, vlassig haar en kleine bruine ogen. Ze leek wat gereserveerd ten opzichte van de andere kinderen, maar ze deed wel altijd mee. Mary de mystica was een lieve moeder, maar ze ging meestal wat zweverig met het kind om. Sophie ging naar de vrije school, waar ze de filosofie van ene Rudolf Steiner aanhingen. Daar geloofden bij voorbeeld dat je kinderen alleen met speelgoed en materialen van natuurlijke grondstoffen moest laten spelen en knutselen, zoals hout en verf gemaakt van groente-extracten, en voor hun zevende werden ze niet tot lezen of schrijven aangezet.

Toen ze nog in de stad woonden, ging Danny ook naar hun speelgroep. Die twee van mij hadden alleen gewone speelochtenden meegemaakt en de peuterspeelzaal en ook Rosie had alleen conventioneel onderwijs gehad. Jane en Mary zeiden me dat ik eens na moest gaan denken over het soort school waar mijn kinderen in de toekomst naar toe moesten. Vinny kon al bijna lezen en Arie liep daar niet ver op achter, aangezien ik met hen veel tijd aan dit soort dingen besteedde. Op de oude zondekist keken ze ook naar kinderprogramma's die door zowel Mary als Jane werden verafschuwd. Zuki, lang en blond, en Pablo, haar kleine, harige maatje, vormden samen een van de leukste twincomedy's. Hun vreemde uitspraak van het Engels en hun rare manieren waren goed voor uren entertainment. Vanwege hun handicap ten aanzien van het Brits-zijn, zagen de kinderen hen als bondgenoten, en ze werden gezien als een soort semi-volwassenen omdat hun kamer er meer als een speeltuin uitzag dan als iets waar je kon wonen. Ze waren allebei kunstenaar en ze waren alleen maar in het land om beter Engels te leren voordat ze eropuit zouden gaan om de wereld te veroveren met hun abstracte schilderkunst en installaties.

Hans de houthakker kwam vlak voor kerst terug van zijn

ouders en de volgende fase van mijn bestaan in dit sprook-jeshuis begon op één groot feest te lijken. We hielden fees-ten voor alles en iedereen. Kerst was de eerste smoes. Sarah vertrok richting noorden en een aantal oud-huisgenoten kwam langs voor de festiviteiten. Er kwamen nog meer busjes en tegen kerstavond zat het hele huis vol met nog meer mensen. Het was een heerlijke tijd en de kinderen en ikzelf pasten ons met toenemende opwinding en ontzag aan iedere nieuwe lichting aan. De zij-oprit stond nu bomvol met auto's en er stonden zelfs een paar tenten en tipi's in de tuin. De reizigers kwamen uit alle lagen van de maatschap-pij en hadden allerlei verschillende achtergronden. Er wa-ren gesjeesde studenten bij en ex-zakenlui, mensen die voor rijkdom of juist voor armoede waren gevlucht, over een van de oud-huisgenoten ging het gerucht dat zij Nestlé's miljoe-nenerfgename was, en er liepen zelfs een paar oud-politie-mannen rond. Ze leken allemaal één ding gemeen te heb-ben; het kwam erop neer dat ze allemaal afstand hadden genomen van een of andere normale levenswijze. Kerstmis kwam en ging voorbij en de bier- en wijnmakerij duurde tot tegen het nieuwe jaar.

Op oudejaarsavond werden er overal op het landgoed vuren aangestoken en de pingpongtafel werd ingeklapt om ruimte te maken voor de grote gebeurtenis. Het poeppro-bleem was verdwenen, want met zo veel mensen over de vloer was elke vierkante centimeter bezet, zodat de dieren wel heel hard hun best moesten doen als ze het huis nog wilden bevuilen, want al bij het geringste teken van een poging werden ze zonder pardon weggejaagd. Jane had die avond haar kamer beschikbaar gesteld voor de kinderen. Ze zou bij Nobby in de wagen slapen, zoals ze toch al vrij vaak deed.

Met de wagens waren er nog meer kinderen bij gekomen, en gasten en moeders hielden bij toerbeurt toezicht op het kinderfeest boven. Het hele huis was omgetoverd in een dromengrot die oplichtte in het dorp als een circus midden in een donkere woestijn. Jannie was er ook en ik was zo blij haar te zien dat ik even moest huilen. Ze bleef Vinny en Arie een hele tijd omhelzen en knuffelen en ik denk dat zij net zo blij waren om haar te zien als ik. Kinderen hebben een kort geheugen en ze zeggen dat ze zich snel aanpassen, maar ik weet zeker dat de meiden het heerlijk vonden om een gezicht te zien dat ze kenden van een andere plek dan de mallemolen van mensen in hun nieuwe huis.

Vlak voor middernacht kwam een grote groep motorrijders van de All New England Club langs met moeders-de-vrouw en kinderen. Een van hen, Nigel, vroeg of ik wel eens op een motor had gezeten. Toen ik antwoordde van niet, zei hij dat ik nodig moest worden ingewijd en ging op zoek naar een helm voor mij. Nadat ik de helm om mijn hoofd had vastgemaakt, klommen we op de motor en zei hij tegen me dat ik de bewegingen van zijn lichaam moest volgen; als ik hem een bepaalde kant op voelde leunen, moest ik mij precies zo tegen zijn lichaam laten vallen om samen door de bocht te gaan. De motor liet een luid gebrul horen en we stoven naar de Severn Bridge. Op de terugweg, net toen we de ruime bocht van de weg naar Bath namen, zagen we flitsen en vuurwerk de nachtelijke hemel in schieten en boven onze hoofden werd 1980 geboren. Mijn eerste motorritje werd gevolgd door mijn eerste paddotrip en al met al denk ik dat ik die avond voor eens en voor altijd uit mijn schulp ben gekropen; eindelijk was ik zelf ook een new age hippie geworden. Het drinken en dansen ging door tot het licht werd en voor wat betreft de precieze toedracht van de rest van de nacht heb ik nog steeds duistere zones in mijn hoofd.

De volgende morgen werd ik wakker in een kluwen van armen en benen van een mengelmoes van Arie, Vinny en

Jannie. De kinderen sliepen door tot het einde van de middag, net als de meesten in huis.

Jannie en ik maakten die middag een wandeling door het dorp en over de heuvels richting Bath. Onderweg vertelde ze me dat ze nu zo ver was met haar proefschrift dat ze terug moest naar Amerika om vergelijkend onderzoek te doen. Over een paar weken zou ze vertrekken. Ik moest haar beloven dat we contact zouden houden; ze wist niet wanneer ze weer terug zou komen naar Engeland, als dat er ooit van zou komen. Op het ogenblik had ze het heel druk met de verkoop van haar spullen, en ze vroeg mij of ik zolang haar boeken onder mijn hoede wilde nemen. De meeste zouden in de opslag gaan, maar haar boeken over magie en religie wilde ze achterlaten bij iemand die ze zou lezen en gebruiken om ervan te leren, bij mij dus.

Ik voelde me vreselijk vereerd, maar ook een beetje mysterieus en plechtstatig, ook al wist ik niet helemaal waarom.

Natuurlijk nam ik het aanbod aan.

Dat had ze had wel verwacht, en daarom had ze haar boeken al meegenomen. Ze lagen in de auto. Dat jaar zag ik haar nog maar één keer, toen ik haar tegenkwam bij de jaarlijkse reünie van het blijf-van-mijn-lijfhuis. Ze reed als chauffeuse voor een aantal uitverkoren vrouwen op en neer tussen het opvanghuis en Furrows Court, waar het feestje eigenlijk gehouden werd; een receptie met onze weldoeners. Eerst was Nicky mij komen halen. Mary paste die avond op Vinny en Arie.

Vervolgens reden we door naar het opvanghuis om de lege plekken in de auto op te vullen, en door te rijden naar Jackies woning, als je het zo kunt noemen. Furrows Court was een middeleeuws klooster en stamde uit de veertiende eeuw. Het was verbouwd tot een luxueus blok van vier woningen rond een binnenplaats met kinderkopjes. Drie tuinlieden onderhielden het schitterende terrein met zijn doolhof van heggen. Om bij de gebouwen te komen, moest je een eigen weg van ruim drie kilometer afleggen.

Nog nooit van mijn leven had ik zoiets gezien. De klokkentoren bevond zich in Jackies gedeelte, en alle muren en de inrichting stonden op de monumentenlijst. Dat hield in dat ze op geen enkele manier mochten worden verplaatst, bedekt of veranderd. Het moderne design-meubilair leek eindeloos verwijderd van de omgeving als een kleine vieze vlek op de enorme ruimte die ze de woonkamer noemden, en die ooit voor dertig monniken in zwijgende wake tot eetvertrek had gediend. De vrouwen stonden in kleine groepjes bij elkaar, zoekend naar de beschutting van muren of andere vaste structuren in de kamer en in de gang die naar de keuken leidde, opzettelijk proberend niet te fluisteren, iets wat heel moeilijk was, omdat de ruimte net zo'n hol, stil effect had als een kerk of een museum, zodat je vanzelf zachtjes ging praten voor het geval god of een of andere autoriteit je hoorde en je misschien met bliksem zou treffen of je juist diepgaande lering of geestelijke verlichting zou verschaffen, op welke wijze dan ook. Dat rare gevoel dat er iemand op je zou letten als je iets overbodigs zou doen als glimlachen of praten. Het was zo overweldigend, dat ik mezelf erop betrapte dat ik ook een hoekje zocht om me in te nestelen.

Jackies dochter Sam, roepnaam voor Samantha, terug van kostschool om te helpen als gastvrouw, dook op bij mijn elleboog toen ik de houten omlijsting van de glazen tuindeuren bekeek met die geïnteresseerde en geconcentreerde blik die op verveling duidt.

Of ik de tuin wilde zien, vroeg ze.

Ik knikte terwijl zij de deuren openmaakte zonder ook maar af te wachten wat mijn reactie was. Ze stapte naar buiten en liep door naar de rand van het bordes, dat door een paar treden gescheiden was van het gazon.

Daar bleef ze staan en zuchtte verdrietig. Haar hoofd liet ze hangen en de fijne slierten van haar blonde haar omsluierden haar hoofd als een gordijn. Ik liep naar buiten, bleef een beetje achter om haar niet te storen omdat ik aanvoelde dat ze even alleen wilde zijn. Ze draaide zich om en keek me recht in de ogen, glimlachte flauwtjes en keek om zich heen naar de avondschemering van het einde van de lente. De avondlucht was vrij scherp, maar de schoonheid van de tuin strekte zich voor ons uit, alle kanten op en zo ver als je kon zien, zodat we niet meer naar binnen wilden. Toen ze de trap afliep, trok ze haar reebruine shawl dicht om zich heen en gebaarde me haar te volgen, ze zou me het labyrint laten zien. Ik keek achterom naar de deuren van waarachter het rinkelend geluid van glazen en vrolijkheid geruststellend doorsijpelde, verder leek er niemand belangstellend genoeg om naar buiten te komen. Toen ik Sam inhaalde, stond ze te wachten bij het grindpad dat tussen de groenblijvende bomen door liep, die het wandelpad aan beide kanten omlijstten als soldaten van een regiment. Gelukkig had ik nog steeds de enorme geruite jas aan die ik van John de dichter had geleend, en de frisse lucht voelde heerlijk, vergeleken bij de sfeer van muskusachtig hout die in het huis hing.

Terwijl we zwijgend over het pad naar het labyrint liepen, draaide ik me om om weer naar het huis te kijken. Het stak tegen de hemel af als een kasteel uit een gotisch kostuumdrama, donker en onheilspellend, met een klokkentoren die aan een kant omhoog stak als een schuilplaats voor een jonkvrouwe die wordt belaagd.

Het was een sublieme locatie voor een horrorfilm. De bomen van het labyrint waren een stuk hoger dan ik had verwacht, ze staken bijna anderhalve meter boven onze hoofden uit. Sam liep voorop en ik volgde, nog steeds iets achter haar, steeds weer draaiend en kerend tot ik absoluut niet meer in staat was me onze route voor de geest te halen.

We hadden ongeveer een kwartier gelopen voordat we iets zeiden, en het werd al vrij donker toen ik haar vroeg of ze de weg naar buiten wist. Plotseling en onaangekondigd kwamen er kleine lichtjes tot leven die met onregelmatige tussenruimtes in de grond onder de heg waren gezet, zodat er precies genoeg licht was om te kunnen zien. Sam knikte en vertelde dat ze de weg door het labyrint zelfs met een blinddoek kende, iets wat ze ook vaak had gedaan.

Zwijgend liepen we door tot we een bocht om kwamen, bij een kleine vierkante ruimte met een fontein en een standbeeld, met aangelegde bloembedden eromheen. Midden in de fontein stond een blank stenen beeld van vrouw in een eenvoudige toga met kap en japon, die een grote urn droeg waardoor het water eindeloos stroomde. Op regelmatige plekken tussen de bloembedden in stonden bankjes, en vier openingen leidden weer terug naar het labyrint. Ik zag dat er meer lichtpunten zaten die goed waren verborgen, maar het geheel toch een sprookjesachtig romantische allure gaven. Het lukte me maar niet mijn verbazing te verbergen; ik bleef maar oh en ah roepen.

Het standbeeld was adembenemend. Het fijne, wijze, edelmoedige en toch open gezicht van de vrouw was in soepele, eenvoudige lijnen neergezet en het geluid van het water klonk kalm en geruststellend; er ging een soort helende werking van uit.

Even was ik helemaal alleen en toen ik die witte stenen ogen aankeek, voelde ik me net alsof ik ergens naartoe zweefde waar ik nog nooit was geweest, een plek waarvan ik wist dat die bestond, maar waar ik nog nooit had durven zijn, een plek om onbevreesd in te verdwalen, omdat je niet echt verdwaald was, maar vrij.

Sams stemgeluid riep me terug naar het land der levenden en plotseling voelde ik me heel erg moe. Ze greep me bij de arm en trok me naar een van de bankjes aan de andere kant. Ik had geen idee hoe lang we al bij het huis en de anderen vandaan waren, maar ze leken wel eeuwenver weg. De enige geluiden waren een paar vogels in de avondlucht, het eeuwig spuitende water en de bomen die op een afstand ruisten in de kille bries. Ik kreeg een raar gevoel. Sam haalde een klein, vreemdsoortig sigaretje tevoorschijn en stak het aan. De aangename geur van marihuana dreef me tegemoet toen ze het naar me uitstak. Ik nam een paar trekjes en gaf het aan haar terug.

Geen van ons tweeën sprak onder het roken.

Plotseling vertelde Sam me dat ze dood wilde.

Toen ik haar vroeg waarom, haalde ze alleen maar haar schouders op en zei dat haar tijd gekomen was. Hoe zij dat dan wist, wilde ik weten, o, dat wist ze gewoon.

De laatste tijd had ze vaak zweef- en valdromen gehad, en het leek wel of ze altijd precies wakker werd vlak voordat een of ander zwart gat haar op zou slokken – onder het zweet en vol onheilspellende gevoelens. Ze had slaappillen geprobeerd en kalmeringstheeën, maar zonder resultaat en nu zag ze steeds weer op tegen de nacht. Ik had ook dat soort dromen gehad en dat vertelde ik haar.

Ik had ze al een hele tijd niet meer gehad, maar in de tijd dat ik begon te menstrueren, kwamen die dromen elke nacht terug en ik probeerde haar ervan te overtuigen dat het waarschijnlijk heel normaal was. Maar ze wist zeker dat ze gestraft werd. Waarvoor dan, vroeg ik. Voor van alles... probeerde ze te zeggen, ze liet haar hoofd zakken en werd stil. Ze kon duidelijk niet echt over haar problemen praten en ik kende haar niet goed genoeg om door te vragen, dus zei ik tegen haar dat ik van een vriendin, Jannie natuurlijk, een boek had gekregen over dromen en hoe je ze uit moest leggen, en hoewel ik het zelf niet gelezen had zou ik, als ze me de details kon vertellen, misschien kunnen kijken wat de betekenis kon zijn, en ik zei erbij dat ik haar het boek zelf niet uit kon lenen omdat ik er alleen maar op paste.

Even was ze van haar stuk, toen zei ze dat ze na het weekend weer terug moest naar Londen en dat ze me niet zomaar meteen alle details kon vertellen, niet hier, niet nu, ze moest erover nadenken. We zouden elkaar schrijven.

Op dat moment besefte ik het nog niet, maar ik was zojuist aan mijn roeping begonnen, het uitleggen van symbolen zou mettertijd mijn hele bestaan gaan beheersen. Toen we uit het labyrint waren vertrokken, werd ik overvallen door paniek en ik sloot mezelf op in het toilet om erover na te denken. Misschien had Sam wel professionele hulp nodig, misschien waren haar problemen helemaal niet van spirituele aard en bemoeide ik me met zaken die mijn pet te boven gingen? Later op de avond, toen Jannie me naar huis reed, vertelde ik haar over Sam en ons gesprek over dromen en vroeg haar of zij vond dat ik hier goed aan had gedaan. Jannie vroeg me hoe het voelde toen we in het labyrint met elkaar spraken.

Ik vertelde haar dat het voelde alsof Sam zich dingen afvroeg waar we immers allemaal onzeker over zijn, zoals wie we zijn en waarom we bestaan. Vragen die ons ons hele leven achtervolgen en waar geen echt steekhoudende antwoorden op zijn, maar die we allemaal onder ogen moeten zien om te overleven en te bestaan. En toen kwam de vraag voor de hoofdprijs: Jannie vroeg me waarom ik Sam dit soort hulp had aangeboden. Dat was eenvoudig, als ik haar zou helpen zichzelf en haar dromen te begrijpen, dan zou ik zelf leren leven met mijn eigen visie op hoe het leven in elkaar stak. Jannie zette een raar Amerikaans accent op en zei 'well miss thing, in that case I think ya did fine, real fine' en we barstten allebei in lachen uit.

We bleven een tijdje huilend in de auto zitten om afscheid van elkaar te nemen, we beloofden elkaar te schrijven en gaven ons erewoord dat we ons hele leven vriendinnen zouden blijven én daarna.

Ze wilde niet mee naar binnen zei ze, omdat ze dat niet aankon en toen ze wegreed bleef ik net zo lang zwaaien tot ze in het donker was verdwenen, en ik kreeg een vreemd soort nieuw bewustzijn over me, dat ik nooit meer helemaal alleen zou zijn.

Er was een periode in mijn leven geweest waarin ik me altijd alleen had gevoeld. Zo alleen dat ik de pijn in golven door mijn hoofd voelde beuken en weerkaatsen in het diepst van mijn ziel. Tijdens het gesprek met Sam was ik weer eens ergens ver weg, in mijn eigen jungle, bezig met de weerkaatsing van mijn eigen pijn, toen iets in haar woorden, een of ander geluid tussen de woorden in toen ze zei dat ze dood wilde, de zwarte leegte van mijn wezen in reikte en mij haar pijncirkel in trok. Dit had ik al eerder meegemaakt. Niet met Sam, maar met Sarah en Jannie en vele anderen, duizenden keren, miljoenen jaren lang en het was goed. Het was sterk en warm en samen hadden we de leegte overwonnen en een pad gevonden dat betekenis had.

7
Midzomerfeest

Daar stond ik dan, in het donker voor het huis, de tranen liepen nog over mijn wangen en ik voelde me enorm, immens als de ruimte, zo groot als het universum en blij dat ik bestond omdat ik nooit, maar dan ook nooit meer alleen zou zijn. Sams pijn had mij even van de mijne genezen, en ik wilde daar iets voor terugdoen, ik ging het huis in om de boeken over dromen boven water te halen en mijn zoektocht te beginnen.

In de weken die volgden, leerde ik om te leren. Mary de mystica en John de dichter luisterden naar mijn theorieën en vertelden me eerlijk wat hen aannemelijk leek en wat ze klinkklare onzin vonden. Mijn ware baken werd echter Fanny. Voor mijn verjaardag kreeg ik van haar een symbolenwoordenboek en een pak klassieke tarotkaarten. Daar kon je het beste mee beginnen, zei ze.

Mettertijd raakte iedereen in huis betrokken bij mijn kleine onderneming en op een avond stond het zelfs op de agenda voor de huisvergadering.

Het voorjaar begon over te gaan in de zomer. De kinderen en de dieren werden mijn publiek, dat zo nu en dan in de vroege avonduren tijdens de verhaaltjes vergezeld werd door een of twee volwassenen, omdat dat een stimulans was voor mij om alle folklore te lezen die nu werd verzameld. Samen met het lezen van de naslagwerken, wat ik 's ochtends deed en de schrijfsessies na het avondeten, werden de dagen goed besteed en het maakte mij gelukkig.

Sarah nam de verantwoordelijkheid voor de kinderen met een ongelooflijke toewijding op zich. Ze had de kinderen ingeschreven bij een speel-o-theek, en bracht ze er elke dag met de regelmaat van de klok naartoe, net als Rosie, voor wie ze zelfs een school had gevonden, wat heerlijk was voor Janice. In het begin ging John altijd met haar mee, omdat we nog niet helemaal op haar reactievermogen vertrouwden, maar toen ze dagelijks tussendoor op winkeljacht ging, en geld voor de huishoudpot begon te verzamelen als een ware belastinginner, met aankondigingen van drastische bezuinigingen, zoals geen gekonfijte bananenchips in de muesli tot bepaalde mensen betaald hadden, wisten we dat ze heel hard op weg was over haar cultuurshock heen te komen.

Op een avond hoorde ik mijn huisgenoten terugkomen uit de pub, dus ik liep de keuken in om iets te drinken te maken. Laaiend enthousiast bracht Fanny precies datgene ter sprake wat – hoe onschuldig het ook begon – uiteindelijk een einde zou maken aan de eerste fase van mijn nieuwe roeping: seances.

Omdat ik een sikh ben, was het hiernamaals voor mij een beetje een grijs gebied. Als je doodging, werd je verbrand en dat was het dan.

Ik had mijn vader wel zo nu en dan onbekende, kwade geesten zien verdrijven als die bezit hadden genomen van een bepaalde plek of een individu, maar deze demonen waren nooit de zielen van overleden mensen. Het waren eerder de gekwelde overblijfselen van een beestachtig wezen uit een legende die een schuld kwamen opeisen of een vriendelijke engel die als waarschuwing of bescherming was gestuurd. De sikhse leer is profaan en voor bepaalde doeleinden namen mensen veelal de regionale Hindoegewoonten in hun dagelijkse leven op. De vruchtbaarheidsgodin Lutsjmi bijvoorbeeld, stond hoog op de lijst. Regelmatige offers, het branden van kaarsen en het op bepaalde dagen vasten voor de geboorte van een zoontje na een lange reeks meisjes, bijvoorbeeld. Als ik er goed over nadenk kun je eigenlijk wel voor bijna alles tot Lutsjmi bidden, omdat ze gaat over allerlei zaken die met welvaart en productiviteit te maken hebben. Voor vrede en eensgezindheid is er de androgyne god Ganesh, en er zaten ook een paar grillige types in de reeks, zoals de godin Kali van oorlog en vernietiging, die je alleen met de grootst mogelijke omzichtigheid kon vereren, omdat de weerslag op haar soortgenoten je duur kon komen te staan. Maar, ook volgens de Hindoeleer, onderga je over het algemeen uiteindelijk een wedergeboorte, zodat de zielen en geesten van de overledenen terugkomen. Hindoes en sikhs kennen niet echt een theorie op het gebied van hemel en hel.

Dus toen Fanny voorstelde om seances te houden, snapte ik niet zo goed waarom.

Ze verzekerde me dat het me zou helpen bij mijn studie van symbolen, maar ik snapte niet hoe. Janice en Robbin zeiden dat het klinkklare abracadabra was. Jane en Mary vonden het gevaarlijk en volgens Xavier moest je er mensen bij hebben die het konden overzien. Mensen met ervaring.

Fanny beweerde stellig dat ik die ervaring juist had.

Dit bracht niet alleen mij, maar ook de anderen in verwarring.

'De meesten denken dat mediums en helderzienden geboren worden met een soort speciale gave', vertelde ze ons groepje, 'maar dat is niet altijd zo. Meestal weten we alles als we geboren worden', zei ze nadrukkelijk, iets waarvan ik me herinner dat mijn moeder het ook zei. Vanaf het moment dat we geboren worden, hebben we al het nodige om mens te worden. Armen, benen, ogen en oren enzovoort. Vanaf dan worden de grootste verschillen tussen ons – afgezien van huidskleur, haar en ogen, of kleine verschillen in vormen en maten – bepaald door de informatie die we in onze geest opslaan en hoe we verbanden leren leggen in die informatie om haar te kunnen gebruiken.

'Welnu,' verklaarde Fanny, 'Mandy heeft een hele andere opvoeding gehad dan wij allemaal hier, met hele andere informatie. Ten aanzien van vrije keuze, bijvoorbeeld. Terwijl de meesten van ons bezig waren met het fijnslijpen van onze eigen manieren om te krijgen wat we wilden, was Mandy bezig haar vaardigheden te slijpen op die vlakken waar dat van haar werd verwacht. De meesten van ons zijn opgegroeid met een besef van tegendraadsheid, dat we in onze puberteit ontwikkelen, waarmee we ons tegen de wil van anderen hebben gekeerd en onafhankelijke individuen zijn geworden, in staat om beslissingen te nemen om daarmee onze persoonlijke vrijheid en keuzemogelijkheden te vergroten. Maar Mandy is opgegroeid met een besef van hoe je de wil van anderen tegemoet kunt komen om hun wil te bekrachtigen, binnen de beperkingen opgeworpen door het bevredigen en versterken van die wil, onderdrukking.'

De woorden klonken overdreven, maar het was duidelijk waar Fanny heen wilde.

'Ten tweede, en nog belangrijker in onze discussie, zijn rituelen en discipline', ging ze verder. 'De meesten van ons hebben wel iets van een besef in deze, maar niet zoals Mandy. Wij zijn misschien wel eens op een bepaald moment naar de kerk geweest voor een trouwerij of zo, of zelfs naar zondagsschool, maar Mandy heeft het grootste deel van haar leven minstens twee keer per dag moeten bidden en zij fungeerde als het symbool van de zuiverheid van haar familie, in feite van de hele gemeenschap, als dochter van een ouderling. Waar ons bewustzijn enkelvoudig is, is dat van Mandy eerder meervoudig.'

Fanny's stem had een hypnotiserende uitwerking en binnen de kortste keren had ze ons ervan overtuigd dat ik een medium was, op de een of andere manier in staat gevoeligheden waar te nemen die anderen niet voelden, als een soort radio-antenne.

Janice was nog steeds sceptisch en zei dat ze het saai vond en naar bed ging.

Iedereen keek naar mij.

Niemand kon voorzien dat de gebeurtenissen van die avond een week later in de plaatselijke kranten en in een paar smakeloze tabloids zouden staan.

Nadat ik duidelijk had gemaakt dat ik er niet klaar voor was om me het rijk van de ondoden in te wagen, was ik naar bed gegaan. Net als Janice. De anderen kregen nog gezelschap van Pete en zijn camera en Kate, Engelands glorie. Ze was aan het mokken omdat haar vader geen nieuwe auto voor haar wilde kopen en met een nacht in het kraakpand kon ze zich altijd verzekeren van zijn medewerking aan haar plannetjes. Fanny was een beetje beledigd dat ik naar bed was gegaan, want de hele avond in de pub had ze het nergens anders over gehad, kennelijk was die avond het juiste moment geweest, omdat het volle maan was. Robbin had geweigerd mee te doen, maar was gebleven om te kijken en dus hadden Fanny, Jane, Mary, Xavier en Kate besloten een seance te houden en Pete zou het filmen.

Geen van allen wist dat onze buurman het gesprek in de pub had gehoord; de boer had er in ieder geval genoeg van meegekregen om op het idee te komen wraak te nemen.

Een paar weken eerder, toen we een scène aan het opnemen waren voor Pete's film, die over een kernramp ging, hadden we het met hem aan de stok gekregen toen we per ongeluk zijn oogst hadden verbrand op het land naast onze tuin. Het was een huiskamerdecor dat getroffen moest worden door vuurwinden, ik had nog de dummy's gemaakt die we op de plekken van de acteurs zetten, toen het vuur uit de hand liep. Het was een fantastisch stukje filmwerk en het ging heel erg goed, tot we beseften dat de echte wind vrij hard woei en het vuur het land op had gejaagd voordat we het onder controle kregen.

Bovendien was Mary haar gebeden aan Isis bij zonsopgang aan zijn kant van het hek gaan houden omdat ze een groot stuk hemel nodig had om haar naaktheid op te nemen.

Die twee dingen samen waren voor de oude boer de druppel geweest, en nu zocht hij een manier om ons terug te pakken.

Hij had de politie verteld dat er op Saltford aan zwarte magie werd gedaan en dat we een bloedoffer zouden houden. De achterdeur zat nooit op slot, ook 's avonds niet en niemand hoorde de auto's remmen toen de politie er aankwam. Net toen Fanny in trance was geraakt om contact te maken met de gids die hen naar de andere kant zou brengen, kwam de politie binnen en brak de pleuris uit. Tegen de tijd dat de slapende bewoners waren gewekt voor verhoor, waren de anderen al meegenomen naar het bureau voor een verklaring en Pete's camera en film waren in beslag genomen als bewijs.

Het was nog een geluk dat Nigel die week achterliep met de hasjbezorging omdat er zoals wel vaker even schaarste heerste in de scene, zodat niemand voor drugs werd gearresteerd.

Charlie had het distilleervat en het drankmaakgerei meegenomen naar een of ander festival, dus het noodlot was ons zeer gunstig gezind, maar weken daarna hingen de reporters nog om het huis. Toen de rechter Pete's film had gezien waarop alleen maar een paar aangeschoten mensen stonden die met stukjes papier en kaarsen aan het spelen waren, werd de aanklacht nietig verklaard, maar de sfeer in huis was minder verkwikkelijk. Niemand bracht de bewuste avond echt ter sprake en Fanny begon vrij veel te drinken. Het doek viel toen Zukie en Pablo haar tipi-palen gebruikten voor een van hun installaties, opgesteld ter gelegenheid van het komende zonnewende-feest, dat deze zomer in de tuin zou worden gehouden.

Fanny zakte weg in diepe neerslachtigheid en verhuisde uiteindelijk terug naar haar man, die een vrij succesvol zakenman bleek te zijn, en die voor haar levensonderhoud had betaald om haar uit de buurt te houden omdat hij zich schaamde voor haar excentrieke manier van doen. Ik bleef symbolen bestuderen, maar op een iets minder opvallende manier en tegen het zomerfeest hadden we bericht ontvangen dat de GG&GD ons de huur opzei. In het kielzog van de negatieve publiciteit had men de gemeenteraad ervan weten te overtuigen dat het gebouw voor particuliere woningbouw moest worden gebruikt, en de vergunning was verstrekt.

De middag voor het midzomernachtsfeest kwam Nigel naar mijn kamer om met me te praten. Hij wilde weten wat ik in de herfst van plan was. Ik zei hem dat ik waarschijnlijk bij die paar huisgenoten zou blijven die hadden besloten met z'n allen één huishouden te vromen en te verhuizen naar wat er in Bristol ook maar voor de hele groep te vinden zou zijn. Zukie en Pablo gingen naar Amerika en Pete had uiteindelijk besloten zich aan te sluiten bij het filmgenootschap van Bath.

Fanny was al vertrokken en de mensen in de wagens hadden een andere plek gevonden, in de stad, langs de Avon. Daarmee bleven Janice en Rosie, Jane en Danny, Mary en Sophie, Sarah, Martin en John over, plus Xavier, Vinny, Arie en ik. Kate werd door haar vader naar Spanje gestuurd.

Het zal wel moeilijk worden in Bristol een huis voor dertien man te vinden, zei Nigel, maar de krakersorganisatie die ook de juridische zaken tussen ons en de GG&GD had opgeknapt, had ook dat probleem al opgelost. Ze hadden twee huizen naast elkaar gevonden met een gemeenschappelijke tuin ertussenin, waar de gemeente in ieder geval de komende drie jaar geen plannen mee had. We kregen zelfs een bescheiden onkostenvergoeding om de kleine reparaties uit te voeren die nodig waren om het geheel bewoonbaar te maken. Nigel bleef maar vragen stellen, zoals wat ik zou doen om aan geld te komen, want het bedrag dat ik van de sociale dienst kreeg was nou niet bepaald groot. Hij had gezien dat de kinderen nieuwe schoenen nodig hadden, en misschien een stel warme kleren voor de winter.

Ik raakte ontroerd en tegelijkertijd geïrriteerd door zijn bezorgdheid. Wat had hij ermee te maken wat ik deed en hoe? Waarop hij me vertelde dat hij me als zijn zuster beschouwde, omdat hij een sikh was.

Ik sloeg steil achterover.

Het bleek dat hij geweigerd had zijn haar af te laten knippen toen hij een paar jaar daarvoor in de gevangenis zat, en toen had hij te horen gekregen dat de enigen die door de autoriteiten werden vrijgesteld van het knippen van hun haar, de sikhs waren, omdat het verwijderen van haren tegen hun geloof indruiste.

Daarom had hij gevraagd of hij kon worden bekeerd, en dat had hij ook ogenblikkelijk gedaan na de zes maanden verplicht studeren en lezen over het Geloof. Twee functionarissen van de Indiase ambassade en een klein groepje ouderlingen van de sikhse hoofdtempel in de Midlands waren naar de gevangenis gekomen om de ceremonie te voltrekken.

Sikhs moeten zich tot de Gouden Tempel in India richten om de eerste letter van hun doopnaam toegewezen te krijgen en als echte sikh te worden erkend, om welke reden het ambassadepersoneel aanwezig was, en zij hadden de letter R meegenomen en Nigel werd tot Raja Singh gedoopt, wat leeuwenkoning betekent.

Dit alles overweldigde me en ik dacht dat hij een grap maakte. Maar hij vertelde verder en zei dat het eerst een beetje een grap was geweest als verzet tegen het gevangenispersoneel, zodat hij zijn haar kon houden, maar zijn straf duurde zes jaar en langzamerhand was hij de boeken gaan herlezen die de sikhs hem hadden gegeven, en was hij werkelijk bekeerd. Hij wist dingen van het sikhse geloof die ik niet wist. Dingen over de geschiedenis zoals data en veldslagen, verhalen en mythes, van alles.

Hij zei dat de sikhs heel erg op de Hell's Angels leken.

Dat begreep ik niet helemaal.

Misschien omdat ik nog niet zoveel van motorrijders wist.

Maar dat zou snel veranderen.

Inmiddels was het bijna tijd voor het feest en voordat hij vertrok om zich klaar te maken, opperde Nigel dat een van de drugskartels op zoek was naar een dealer die zelf clean was voor de buurt rond de universiteit in de stad; clean betekende een softdruggebruiker, zoals ik. Het kartel had een hippie-achtig type nodig dat er onder studenten respectabel uit zou zien. Je kon ze namelijk dope verkopen voor de dubbele prijs, want studenten hadden een beurs of kregen geld van hun rijke familie, wat garant stond voor betaling. Bovendien hadden ze toch geen benul van de echte prijzen op de markt.

Ik zei dat ik dat niet heel erg sikhs vond klinken, niet zo eerlijk en zo.

Volgens Nigel zouden de studenten uiteindelijk toch worden afgezet als ze het van iemand anders zouden kopen, plus dat ze misschien wel iets op zouden lopen als ze spul kochten dat met verslavende boel was versneden, iets wat de laatste tijd heel erg de trend was. Het spul van de motorrijders was altijd oké en ze drongen nooit zware spullen op aan studenten want dat was de code. Het verdiende goed en het netwerk was al opgebouwd, en bovendien was het ook nog eens makkelijk werk, niet meer dan een paar feestjes per maand en een paar keer per week op de studentenvereniging je neus laten zien. Mijn eigen spullen zou ik gratis krijgen en hijzelf en de motorrijders waren altijd in de buurt voor als er iets aan de hand was, want de jongens van de groep pasten altijd op elkaar.

Nigel was achterin de dertig en had lichtbruin haar met kinken en krullen erin, dat bovenop iets dunner werd. Zijn ogen waren waterig en blauw, en hij miste het grootste gedeelte van zijn voortanden, zodat hij er een beetje wezenloos uitzag als hij lachte, en hij lachte vaak.

Het feest was een enorm succes en hoewel er nog een feest zou komen als we een paar weken later het huis uit zouden gaan, beseften de meesten van ons wel dat dit in de verhalen als het laatste te boek zou komen te staan. Er kwamen werkelijk de meest uiteenlopende groepen mensen, die allemaal op een of ander moment op Saltford waren geweest, het hadden gezien of ervan hadden gehoord. Er waren mystici, priesters, hippies en zelfs 'normale' mensen: artsen, advocaten en docenten. Punkers, motorrijders en aanhangers van de new romance, kunstenaars, musici en acteurs. Mensen die bij de media werkten en voor allerlei politieke organisaties en zelfs een of andere verre troonopvolger. De bewoners van het dorp hadden rond drie uur 's nachts de politie gebeld en de dag brak net door toen die zijn opwachting maakte.

Inmiddels trechterde de menigte de tuin in, waar het gloeiende licht van kampvuur en kaarsen tegen het zachte licht, dat aan de horizon begon te stralen, zorgde voor een wonderlijk magisch effect. De buren in hun ochtendjas en de politie in uniform mengden zich in de massa alsof het een absurdistische klucht van Fassbinder was. Fanny's vijf en een halve meter hoge tipi-palen, opgesteld door Zukie en Pablo, stonden midden in de tuin; schelpen en allerlei symbolische voorwerpen bungelden naar beneden. Binnen de straal van de cirkel die ze omschreven lag een ring van grote platte stenen. Middenin, vanuit het hart waar de palen elkaar kruisten, hing een enorme mensenschedel van papiermaché. Vanuit de ring van stenen kronkelde een schitterende slang omhoog, gemaakt van hetzelfde materiaal, met een tong die omhoog schoot richting schedel.

Toen de oude Apollo zich over de hemel uitstrekte en de heerseres van de nacht met zijn kielzog overstelpte, verspreidde een griezelige stilte zich als een zwijgende vloedgolf over de toekijkende menigte. De mensen praatten niet meer, ze fluisterden, hoewel niemand om stilte had verzocht. De kinderen en de dieren leken hun fut te verliezen en lieten zich niet bangig, maar tevreden giechelend languit op de grond vallen. De vrolijk beschilderde naakte dansers die de hele nacht door al urenlang rond de installatie hadden gestampt en gestoven, lieten hun ritme ietsje zakken naarmate het licht sterker werd en de kroon van zonlicht boven kwam. Het enige hoorbare geluid was nu het genoeglijk zoete protest van de nachtwezens der natuur die zich klaarmaakten om de uren van de dag door te slapen, terwijl de wezens van het rijk van Aurora wakker werden om de dienst op aarde uit te maken, vergezeld door het ruisen van de bomen die eenieder welkom wensten of goedenacht.

Het zwijgen werd oorverdovend en de massief rode cirkel treuzelde zich een weg, almaar omhoog. Mary de mystica zette de slang aan zijn staart in brand en de vlammen vlogen omhoog langs het lichaam, likten vanaf de uitgestrekte tong en kusten de uiteinden van de schedel, en op hetzelfde moment omgaf de enorme brandende bol in de hemel de schedel heel even met een halo. Alle ogen waren nu gericht op de brandende massa die door de oranje zon was omlijst.

Nooit heb ik zo veel van het geheel van alles en iedereen, en tegelijkertijd van het niets gevoeld. Het duurde maar een fractie van een seconde, en toch staat het mij zelfs nu nog voor de geest alsof er quintiljoenen zandkorrels voor eeuwig door de zandloper van het universum vielen, het was een magisch moment. Uiteindelijk won het licht de veldslag en de zon trok zich omhoog en voorbij de bovenkant van de schedel die begon te verschrompelen en uiteenviel. De houten palen vingen inmiddels ook licht en de hele installatie wankelde en kreunde onder de gulzige vlammen die genoten van hun feestmaal. Toen het geheel op de grond ineenstortte, was er plotseling applaus en gejuich en doedelzakmuziek leek vanuit het niets te komen. De zon scheen trots en kwam op hoogte, klaar om de dagreis langs de hemel te maken, maar wij wisten dat Herfst, de god van vernietiging zich al roerde en op het punt stond elke dag aan Zomer en haar weelderige overvloed te knagen. De slag was gewonnen maar de oorlog was uitgebroken en vanaf die morgen zou de zon zijn trots steeds iets minder lang, iets minder fel laten schijnen.

Die morgen werd er niemand gearresteerd, er werd alleen gewaarschuwd en berispt en gedreigd met rechtbanken en boetes als we het niet wat stiller zouden houden. Twee weken later hielden we een soort laatste avondmaal, met een erg sombere en melancholieke sfeer, vergeleken bij het feest voor de Zonnewende. Alleen degenen die er woonden of ooit hadden gewoond, waren uitgenodigd.

Toen we onze glazen hieven voor de laatste dronk, beseften we dat dit het definitieve einde van een hele periode betekende, en het begin van een nieuwe. De enorme hoeveelheid ruimte en mensen op Saltford had mij heel veel tijd voor mezelf gegeven. Iets waarvan ik voorheen niet wist dat het bestond.

8
Meisjes

Vinny en Arie worden in mijn herinneringen aan Saltford niet vaak genoemd. Maar ze waren er altijd, en ze speelden een grote rol in alles wat ik deed. Al in het blijf-van-mijn-lijfhuis zag ik ze veranderen. Misschien vanwege de volledige afwezigheid van volwassen mannen. Misschien juist vanwege de aanwezigheid van vrouwen als Jannie, Nick en Jackie.

Hoe het ook kwam, wat er met mijn dochters gebeurde was ongelooflijk. Als kleine sponzen zogen ze alle kleine beetjes nieuwe informatie op die langs ze dreef. Voordat ze gingen slapen, hadden we elke avond nog steeds een gesprek over de toekomst en hoewel het nog steeds geen miljoenen waren, telden we Ons Gewijde Geld en maakten we grote plannen voor avonturen. Wat misschien nog wel het meest veranderde, was hun uiterlijke verschijning.

Ik hoefde er niet langer elke dag voor te zorgen dat ze er als kleine meisjes uitzagen. Ze droegen nog steeds wel schattige dingen als jurkjes, linten en sokjes, maar ze konden ook kiezen wat ze aan wilden, en net als ik hadden ze daar heel veel moeite mee. Ik weet dat het heel raar klinkt, maar het is iets wat je moet leren. Als je nog nooit de keus hebt gehad, een echte keuze, dan is het iets waar je aan moet wennen. In de sikhse cultuur is haar een heel belangrijk iets; het mag nooit worden afgeknipt en moet altijd opgebonden of naar achteren getrokken worden gedragen, met juwelen of spelden, maar nooit los.

Vinny liet haar lange vervlochten krullen al snel langs haar gezicht en schouders hangen, als de dikke manen van een leeuw, en dit gaf haar lange, elegante trekken een doordringende, heel volwassen aanblik voor haar leeftijd. Ze was nog maar drie jaar oud, maar haar donkere, ovale ogen en lange neus, geflankeerd door hoge jukbeenderen, gaven haar gezicht iets opvallend edelmoedigs. Niet schattig, maar mooi en aantrekkelijk op een heel eigen manier. Haar ledematen waren ook lang en slungelig, en haar hele leven heeft ze nog nooit een grammetje meer vet gedragen dan haar roomchocoladekleurige lichaam nodig had.

Arie, een tintje lichter van kleur, had vanaf het begin af aan al veel rondere vormen. Ze vond het niet erg om haar haar achterovergespeld te dragen, omdat het zo fijn van structuur was dat het meteen wegvloog als je het niet vastbond, en alleen maar voor haar gezicht en zachte bruine ogen zwiepte. Ze had heerlijke wangetjes, een dopneus en een glimlach die ijsbergen deed smelten. Beide meisjes waren hele ernstige kinderen. Hier werden vaak opmerkingen over gemaakt, waardoor ik me soms heel erg ongemakkelijk voelde. Ik heb nooit geweten waar die ernst vandaan kwam. Ze waren niet stijfjes of afstandelijk, maar gewoon heel nuchter en praktisch.

Ze deden spelletjes en hadden een schitterende fantasie, net als alle andere kinderen in hun omgeving, maar af en toe zei een van de bewoners weer eens hoe volwassen een van de meisjes zich in deze of gene situatie had gedragen.

Hun geheimtaal ontwikkelde zich van knikjes en gebaren, geknor en gegrom tot subtiel gefluister en handgebaren en de vaardigheid waarmee ze met de rest van de wereld communiceerden leek onbegrensd. De verhuizing van Saltford terug naar Bristol zelf was voor hen net zo goed een mijlpaal als voor mij. Mijn verliefdheid op onze nieuw verworven vrijheid begon uit de wittebroodsweken te komen, de harde werkelijkheid in. Na het gebeuren rond de seance, werd mijn belangstelling voor dromen en symbolen een stuk minder openlijk, en de huisgenoten werden er minder bij betrokken. Hoewel ik Nigels aanbod om studenten-hasjdealer te worden had geweigerd, beschouwde hij me nog steeds als zijn zuster, en hielp hij me niet alleen af en toe met een lening uit de geldproblemen, maar deed hij me tevens beseffen dat de zorg voor de materiële behoeften van de kinderen voortaan anders moest worden geregeld. Van een uitkering leven was niet de manier, zei Nigel, en ik moest maar eens gaan nadenken over een school voor de kinderen en een baan voor mezelf. Maar ja, ik had nog nooit op die manier voor mijn kinderen hoeven denken. Als Aziatische huisvrouw moest ik nadenken over hoe ik ze schoon hield en hoe ik voor ze zou zorgen, op een hele directe manier. De mannen moesten nadenken over scholen en waar ze als volwassen vrouwen zouden eindigen. Nigel bleef af en toe langskomen om met me te praten. Langzaam liet hij me wennen aan het idee van werken voor je geld en legde hij uit hoe mensen zich vaardigheden eigen maakten door studie of een liefhebberij.

Andere huisgenoten leken een beetje slecht op hun gemak met deze rare man, ze vonden het niet erg om drugs van hem te kopen, maar ze zagen hem niet echt als hun vriend. Mary zei me dat ik uit moest kijken met wat hij van me wilde, maar ik snapte niet waarom. Hij kwam met lijsten aanzetten van crèches en scholen, recepten voor wijn en bier.

Op een avond kwam hij samen met een vrouw langs.

Ze heette Morgan en ze was verbijsterend.

Lang en dun met donker, zwart haar en mistige grijsblauwe ogen, net als Nigel.

Morgan had iets ijls en fee-achtigs over zich en haar kleren leken om haar heen te zweven. Ze wilde de kinderen ontmoeten en ze vertelde haast liefdevol hoeveel ze van Nigel over hen had gehoord.

De kinderen vonden haar natuurlijk fantastisch. Het was net na etenstijd en ze moesten naar bed. Ik had het duidelijk druk, maar mijn twee gasten lieten zich niet wegsturen. Morgan bood aan de kinderen in bad te doen en een verhaaltje voor te lezen, terwijl ik de afwas deed en Nigel zich nuttig maakte door een joint te rollen. De kaarten leken geschud, de deal werd gesloten.

Uit de geluiden van boven konden Nigel en ik opmaken dat er veel plezier werd gemaakt en tegen de tijd dat Morgan terugkwam was de keuken schoon, stond er een pot thee te trekken en lagen er genoeg joints naast de koektrommel om ons de hele nacht overeind te houden. De meeste andere huisgenoten waren niet thuis of op hun kamer. Ik stelde voor om ons met onze voorraad in de mijne terug te trekken.

De nacht was lang en vol vreemde magie. Morgan bleek aangesloten te zijn bij de witte heksen. Dit is een vereniging van mensen die geloven in heidense mystiek. Heel erg vrijzinnig en open voor verschillende interpretaties maar oud en wijs genoeg om door het algemene Britse register van kerken als religie te worden beschouwd.

Ze organiseerden cursussen en workshops op allerlei gebied: kaarsenmagie, symbolen en rituelen, astrologie, tarot, ruïnes en allerlei soorten helingskunsten, van iets met kristallen tot theesoorten. Van meditatie, diëten en eensgezindheid tot filosofie, politiek en wetenschap.

De hele nacht door bleef Nigel ons van drank en joints voorzien en op zachte toon vertelde Morgan steeds verder over dit fantastische netwerk en over wat het in heel Engeland en delen van Europa tot stand bracht. Niet één keer probeerde ze me haar cultgeloof in te lokken, ze vertelde me gewoon hoe zeer zij in de religie en de effecten ervan geloofde. Het gebouw waar de lessen werden gegeven was een gemeenschappelijk gebouw in het hart van de oude stad.

Het complex werd door Quakers gerund en er huisden ook andere groepen, zoals de wandelclub en de amateur-operavereniging, en er werden ook andere soorten cursussen gegeven. In het complex was een crèche voor kinderen die nog niet naar school gingen.

Een paar dagen later namen Nigel en ik de meisjes mee. Terwijl ze met de andere kinderen speelden, kregen Nigel en ik van Morgan een rondleiding door het gebouw.

Alweer een nieuwe wereld waar zondekist, feministes en hippies mij niet op hadden voorbereid. Het leek alsof mensen voor alles lessen, een cursus of een workshop volgden. Liplezen, het schilderen van stillevens, talen, koken, ontwerpen, fotografie, het ging maar door. Alle grote leslokalen waren boven en er waren twee zalen, een grote en een kleine en een ontvangstruimte op de begane grond. Officieel heette het gebouwencomplex The Folkhouse.

Het gebouw was ingebed in een grote heuvel onder aan een steile helling, het lag met de zijkant aan Park Street en had zijn hoofdingang wat lager, tussen Stoney Hill en Frogmore Street. Het was praktisch niet te vinden tenzij je wist wat je zocht. De gebouwen eromheen deden het hele gevaarte in de heuvel verdwijnen. Stenen trappen liepen recht de stenen façade in en steile weggetjes met keien overschaduwd door hoge parkeergarages, camoufleerden het nog meer.

Ook als je het wel zocht, moest je het echt willen vinden.

De rondleiding eindigde in de kantine. Ik vulde een hele stapel formulieren in. Alle wensen op religieus en culinair gebied dienden minutieus te worden genoteerd.

De kinderen ratelden de hele terugweg lang over de

crèche. Op Saltford konden ze urenlang op het terrein rond-dwalen en er waren de hele dag veel volwassenen thuis, maar nu waren we terug in de stad; de meeste volwassenen waren de hele dag weg en de andere kinderen gingen elke dag naar school. Rosie bleef hen nog steeds heel dierbaar, maar zelfs zij werd nu toch te oud voor vingerverven en het opgraven van een worm.

De crèche kwam als een godsgeschenk. Mijn huisgeno-ten reageerden eveneens enthousiast. Sarah was nu volle-dig over haar cultuurshock heen en had zich ingeschreven voor een studie aan de universiteit. Ze bood aan de meisjes elke ochtend te brengen, The Folkhouse lag namelijk niet ver van haar faculteit.

Nog nooit was ik zo lang en zo regelmatig van de kinde-ren gescheiden geweest. In het begin ging ik elke ochtend met Sarah mee om ze af te zetten, en daarna liep ik dan langzaam terug naar huis. Daar vulde ik zo veel mogelijk tijd met schoonmaken en het opruimen van hun kamers tot het tijd was om ze te halen.

Ik miste ze vreselijk en had vaak niets meer om schoon te maken.

Soms werd de dag gebroken door een lunch met iemand of een brief naar Jannie of het werk aan symbolen en zo, maar ik raakte in een dip en begon de dag slapend door te brengen, of kijkend naar de middagprogramma's op de zon-dekist. Ik had me nog nooit gerealiseerd hoezeer de kinde-ren zorgden voor de structuur van mijn dag.

Soms als ik ze had opgehaald, begroetten we elkaar alsof ze maandenlang weg waren geweest en ik denk dat ze wel aanvoelden hoe eenzaam ik me voelde zonder hen, want hun tekeningen en voorwerpen gemaakt van het binnenste van wc-rollen, lege eierdozen en vloeipapier, boden ze me als trofeeën aan. Voor mij gemaakt met alle liefde als bewijs dat ze bij het knutselen aan me hadden gedacht. Deze kunstwerkjes begonnen de muren van mijn kamer te bevolken en ze troostten me een beetje.

Als ik genoeg had van het wieden van de tuin en het schrobben van vloeren, maakte ik een kop thee en ging ik naar mijn kamer om naar de kunstwerken te kijken in het genoeglijke vertrouwen dat de kinderen de wereld in waren om te leren, vooruit te komen en echte individuen te worden. Zonder dat ik het wist, dwong hun vooruitgang mij tot een bepaalde routine. Nigel en Morgan kwamen af ten toe als ouders langs om te zien hoe het met me ging. Ze waren allebei meer dan tien jaar ouder dan ik en ze hadden niet echt dezelfde interesses als mensen van mijn leeftijd zouden moeten hebben. Met de anderen in huis was dat al niet anders, hoewel ze meer een soort broers en zussen voor me waren omdat we huis en eten deelden. De meesten waren een paar jaar ouder dan ik. Zelfs Jannie, mijn beste vriendin met wie ik schreef, was ouder. Ik was de jongste van mijn kleine gemeenschap en ik had zelf kinderen.

De verwarring werd bijna ondraaglijk. Ik had geen contact met mensen van mijn eigen leeftijd en ook als dat wel het geval was geweest, hadden het verschil in achtergrond en in dagelijkse ervaringen het heel moeilijk gemaakt een gesprek te voeren. De winter kwam nu echt op gang en de tuin had steeds minder zorg nodig.

Met het naderen van de kerstvakantie, begon ik me te realiseren dat de meeste mensen om me heen familie hadden.

's Avonds aan tafel waren er veel gesprekken gaande over wie de kerst met wie zou doorbrengen. Jane en Danny gingen weer naar Ierland en Mary en Sophie gingen naar Duitsland, naar Mary's vriend en zijn familie. Sarah en Martin gingen naar het noorden, naar haar ouders. Janice had alle banden met haar familie verbroken, maar haar oma vierde haar tachtigste verjaardag, en ze vond niet dat ze tegen een oude vrouw op die leeftijd nog wraakgevoelens kon koesteren. Daarom ging ze met Rosie voor een week naar een hotel aan de kust met hele clan van haar grootmoeder, ook al had ze sommige leden ervan nog nooit ontmoet. Cynisch voegde ze eraan toe dat de hele week door haar ouders al geboekt en betaald was, en dat ze het zonde vond om het geld over de balk te gooien, ook al was het van hen. Xavier ging met kerst naar Latijns-Amerika, zodat John de dichter, m'n kinderen en ik bijna twee weken lang de enigen in huis zouden zijn.

Ik besefte dat ik voor het eerst in mijn leven bang was. Ik realiseerde me ook dat ik de bommenmaker miste. Tenminste, hemzelf miste ik niet, maar ik miste het vuur dat in mijn ziel brandde als ik plannen tegen hem smeedde. Zo'n lange tijd was dat de drijfveer geweest achter alles wat ik deed. Het feit dat ik hem geen zonen had kunnen schenken was voor mij een wonder, een teken van god. Tot dan toe had ik altijd geprobeerd een gehoorzame echtgenote te zijn, het beste wat je als sikhse vrouw kon wezen.

Op het moment dat ik het vermogen om kinderen te baren verloor, verloor ik ook het enige wat het bestaan in een dergelijke cultuur draaglijk maakte. Ik verloor het contact met vrouwen.

De mystieke onderstroom in dergelijke gemeenschappen drijft op magie en bijgeloof, en dat zorgde ervoor dat ik op de zwarte lijst van onvruchtbaren belandde. Ik bracht onheil. Jonge meisjes en vrouwen werden op een afstand gehouden.

Ik zou wel eens besmettelijk kunnen zijn. .

De oudere vrouwen brouwden bezweringen en brachten me offerandes uit allerlei heilige en soms ook duistere plekken. Gif van slangen en vreemdsoortige wortels, gebeden, formules en stapels rituelen leken de geesten die mijn ziekte veroorzaakten maar niet af te kunnen schudden. Toen

Westerse artsen me ten slotte lieten weten dat ik wellicht ziek werd van deze geneesmiddelen, dat mijn eileiders verkleefd waren en dat ik, als ik meer kinderen wilde, een paar kleine ingrepen kon ondergaan, besloot ik dit niet aan mijn familie te vertellen. Voor zo lang ik me kan herinneren heb ik altijd al geweten dat ik hoe dan ook uit de fundamentalistische cultuur zou stappen waar ik in geboren was; ik wist niet wanneer of hoe, maar ik wist gewoon dat het gebeuren zou.

Dit was de kans waar ik op had gewacht. Als iedereen in mijn gemeenschap van mening was dat god mij niet de plek in de wereld gunde waar ik recht op had, die van moeder van toekomstige mannelijke sikhs, dan zou mijn verdwijning worden gezien als een edelmoedige vorm van bestaan. In plaats van een financiële last te zijn voor mijn man en een zichtbare bron van schaamte voor mijn ouders, kon ik zorgeloos leven met het etiket van onheilsbrenger en me bij mijn eigen soort voegen, de Westerlingen, de Europeanen, de ziellozen.

Ik had de kans gegrepen en nu ik mijn vrijheid had verworven, voelde het alsof ik mijn doel had bereikt. Tenminste, dat dacht ik. Ik had geen slechte jeugd gehad. Niet als je mij vergelijkt met een heleboel andere meisjes in mijn gemeenschap. In de kerk, bij trouwerijen en begrafenissen, als de gemeenschap in zijn geheel bij elkaar kwam, gingen altijd de horrorverhalen en roddels over vrouwen rond. In elkaar geslagen, weggelopen en soms zelfs overleden vrouwen. Het hing er maar van af bij welke kaste of klasse je hoorde en hoe belangrijk jouw bestaan voor de familie of de gemeenschap was. Vrouwen zijn in de sikhse cultuur verantwoordelijk voor een speciale vorm van eer.

Die eer wordt izit genoemd. Het is niet iets van de vrouwen zelf, ze zijn er alleen verantwoordelijk voor. De manier van doen of het gedrag van een vrouw kan de izit van haar familie beïnvloeden, dat wil zeggen niet van de hele familie, voornamelijk van de mannen.

Koppelaars hielden uiterst nauwgezet bij wanneer en hoe vaak elke familie in de gemeenschap problemen had met vrouwen die moeilijk deden. Moeilijk doen kon alles betekenen, variërend van een sterke eigen opvatting over mode tot je mond opendoen of uithalen bij een verwijt.

Dit zijn dingen die je nooit moet doen.

Heel snel leerde ik de regels en ik moet erbij zeggen dat je, als je je eraan houdt, best een aardig leven kunt leiden.

Het moeilijkste is het leren omgaan met het seksuele misbruik.

Gelukkig begon het bij mij niet voor ik acht of negen jaar oud was.

Sommige meisjes die ik kende, waren vanaf hun geboorte belaagd. Ik was wel geschokt toen het voor het eerst gebeurde, want ik was nog nooit geslagen of afgeranseld, dus ik had nog niet de reflex ontwikkeld om passief te blijven.

Een mannelijke tiener uit de familie had me op een avond plotseling te pakken.

Het was na een feest voor de geboorte van alweer een kind, dat tot diep in de nacht was doorgegaan. Wij kinderen waren rond middernacht in bed gestopt, maar de volwassenen gingen tot in de kleine uurtjes door. Rond zonsopgang werd ik wakker omdat ik moest plassen. Toen ik bij de badkamer kwam, kwam hij er net uit, en toen ik langs hem naar binnen liep, keerde hij om, volgde me en deed de deur op slot. Terwijl hij mijn hoofd bij mijn haren vasthield, maakte hij zijn broek los en duwde zijn penis mijn mond in. Stom als ik was, probeerde ik hem weg te duwen, en dat had ik niet moeten doen. Het leek hem alleen maar meer op te winden en zijn lichaam duwde steeds harder tegen mijn gezicht. Ik kreeg geen lucht en het leek wel alsof hij al mijn haren uit mijn hoofd zou trekken.

Met zijn vrije hand draaide hij mijn arm zo ver dat het leek alsof die van mijn schouder af zou knappen en toen hij in mijn keel klaarkwam, begon ik te kokhalzen. Ten slotte liet hij me opzij vallen, en zei dat ik er mettertijd nog wel aan zou wennen; dat was bij alle vrouwen zo.

Hij dreigde niet eens dat ik het aan niemand mocht vertellen, hij zei alleen dat ik me maar beter niet kon verdedigen, omdat ik gewond zou raken. Daarna ging hij pissen, wreef zichzelf schoon en vertrok. Ik bleef nog een poosje op de vloer liggen huilen en ontdekte dat ik van ontzetting in mijn broek had geplast. Het kwam nooit bij me op om het aan iemand te vertellen, ik had verhalen gehoord over meisjes die dat deden. En zijn advies klopte, hoe minder weerstand je bood, hoe sneller het voorbij was.

Hierna werd ik voorzichtiger en hoewel ik er niet helemaal onderuit kwam, probeerde ik ervoor te zorgen dat ik alles zo veel mogelijk samen met een ander meisje deed, zelfs midden in de nacht naar de wc gaan.

Na verloop van tijd ging ik denken dat seksueel misbruik de enige vorm van seks was die er bestond. Mannen, jongens, vrienden of familieleden kwamen op je af en deden het en jij als vrouw moest er maar mee leven. Met je man was het ietsje anders, omdat die officieel het recht had het te doen en verwachtte dat hij je kleren uit mocht trekken en zelfs naast je mocht slapen, maar na verloop van tijd, als je kinderen had geproduceerd, hield het op.

Ach, alleen de eerste dertig jaar zijn het zwaarst. Als alles goed getimed was en je voor je achttiende was uitgehuwelijkt, meteen kinderen kreeg en de gewenste hoeveelheid van elk geslacht produceerde, werd je daarna tot de ouderen gerekend. Dit hield in dat je met een toekomstige familie de huwelijksonderhandelingen voor je kinderen op kon starten en het recht had om seks te weigeren.

Daarna is het volkomen normaal als een Aziatische man

elders anderen lastig valt voor zijn seksuele pleziertjes, want kennelijk zijn mannen nu eenmaal zo. Ze moeten klaarkomen, want anders worden ze gek, schijnt het. In de Aziatische cultuur lijkt het erop dat vrouwen alleen maar hoeven te vrijen om kinderen te krijgen, en daarna kun je ermee ophouden.

Na mijn ervaring met Jannie was ik begonnen aan deze mythe te twijfelen. Maar dat is denk ik ook precies wat ik probeer uit te leggen. Voor mij was de cultuur waar ik vandaan kwam fout en verkeerd; de mensen, alles waar ze voor stond.

Niet dat het iemands schuld was. Er was niemand die ik iets verweet, ik wilde gewoon niet dat het mij ten deel viel en had elke dag, elke minuut, elke seconde van mijn bewuste leven zitten kijken of ik eruit weg kon komen. En nu ik eruit weg was, had ik in de verste verte niet gedacht dat ik het ooit zou missen, maar op een vreemde manier was dat wel het geval. Daar kende ik tenminste alle regels. Ze zaten in de taal verborgen. Bijna alles en iedereen kon met een spreekwoord of gezegde worden uitgelegd.

De familiestructuur was eenvoudig. Je bouwde geen liefdevolle verbintenissen op, je verdroeg anderen om je heen. Het leven is zwaar en dan ga je dood; dat was het enige simpele feit waar je op kon rekenen. Bij de sikhs was alles nogal zwart-wit. De cultuur is uit onderdrukking geboren, een hele jonge cultuur ook, eigenlijk nog maar een paar honderd jaar oud. Ze hebben geen echte geschiedenis en de geschriften over de schaarse geschiedenis die we hebben, worden nog steeds betwist. Zelfs het politieke profiel en de drijfveren achter het geloof zijn onder de sikhs in India zelf pas een punt sinds de heerschappij van mevrouw Ghandi. Wie en wat ze zijn is de vraag. En als je het mij vraagt, is wat ze willen zijn een nog grotere vraag. Een religie, een ras, een land?

Ze praten, waarschuwen, vechten en moorden om een antwoord op deze vragen te krijgen, dus de discussie over de rol van de vrouw in deze cultuur is alles behalve helder. Als toevallig in deze cultuur geboren vrouw heb je heel weinig weet van de wereld erbuiten, en meestal nog minder van hoe het er van binnenuit aan toe gaat.

Wat miste ik dan eigenlijk?

Dus toen Janice, terwijl ze mungboonsalade serveerde aan het tafelende gezelschap, maar door bleef ratelen over haar tot vervelens toe trieste moeder en haar vader die niet van deze wereld was, voelde ik plotseling de zuurstof uit mijn longen lopen. Hoe kon ze zo over haar ouders praten? Ik ben niet gek, het is niet dat ik niet vind dat mijn vader en moeder me op een bepaald punt in mijn leven onrecht hebben aangedaan, maar ik weet gewoon dat het leven nu eenmaal zo is, het is rottig maar het is jouw deel, je lot, je kismet.

9
Offer aan de maangoden

Mijn vader en moeder hadden onder hun eigen deel van de rottigheid geleden, vooral mijn moeder. Ze was mijn vaders tweede vrouw. Praktisch zijn hele familie was door aardbevingen weggevaagd en op zeer jonge leeftijd was hij aan het hoofd komen te staan van wie er over was, hij was toen 24. Zijn vader, moeder, twee jongere broers, zus, vrouw en zoon waren allemaal omgekomen. Hij was die dag met zijn twee neven uit rijden geweest, en toen ze terugkwamen in het dorp, ontdekten ze dat zij de enigen van de familie waren die nog leefden. Tijdens de reddingswerkzaamheden na de ramp verzamelden veel mensen uit de naburige dorpen zich om te proberen orde in de chaos te scheppen.

Sommigen waren alles kwijt, anderen waren alleen verdwaasd, dood en verderf heersten maandenlang over het land. Toen ze mijn moeder aantroffen dwaalde die doelloos rond, verward en in shock. Ze had geen idee wie ze was en waar ze vandaan kwam. Ze was twaalf jaar oud, wat mij betreft nog een kind, maar in de uitlopers van de bergen in noordelijk India werd ze gezien als een vrouw van vruchtbare leeftijd, helemaal alleen op de wereld. Het moet afschuwelijk zijn geweest, maar als ze me jaren later het verhaal vertelde, klonk het altijd als een droom, een sprookje over menselijke moed. Mensen die vochten voor hun leven, vochten om anderen te redden, worstelend om te bevatten wat er was gebeurd.

Vanzelfsprekend speelden god en wonderen in haar verhalen altijd een grote rol en als ze belandde bij het deel waar mijn vader haar bij zich in huis nam als zijn nieuwe vrouw, was er altijd een twinkeling in haar ogen die ik nooit zal begrijpen, noch vergeten.

Ik denk dat ze echt van hem hield, hij was haar held, haar ridder op het witte paard. Zijn voorstelling van de feiten was altijd een stuk praktischer van aard. Hij en zijn twee neven hadden een vrouw nodig in huis voor het koken, de schoonmaak en het huishouden, zo simpel was het. Binnen een paar jaar hadden ze een huis gebouwd, een klein stukje land geregeld om voedsel op te verbouwen en twee heerlijke kleine kinderen geproduceerd, een jongen en een meisje, en op dat moment deed de kerk een beroep op mijn vader. Vanaf dat moment zou hij naar allerlei afgelegen gebieden reizen om god weet wat te doen terwijl mijn moeder het huis en de kinderen verzorgde en zijn neven en later hun echtgenotes en kinderen op de rails hield. De verhalen waren niet altijd eenduidig en het hing er maar net van af wiens versie je te horen kreeg.

Uiteindelijk kwam het erop neer dat mijn vader vele maanden en soms jaren van huis was terwijl mijn moeder in haar eentje zijn kroost opvoedde en van alle behoeften voorzag, tot de Onafhankelijkheid kwam. Dit was weer een hele nieuwe verzameling verhalen over menselijke moed en volharding.

En opnieuw kon ik, afhankelijk van welke versie door wie werd verteld, alleen maar concluderen dat hun huizen werden neergehaald, dat velen stierven en dat hindoes, moslims, sikhs en christenen het allemaal even zwaar te verduren hadden.

Mijn vader was nog steeds het grootste gedeelte van de tijd van huis en mijn moeder slaagde er op de een of andere manier in om, kuipend als een maffiabaas, al haar bezittin gen te gelde te maken en zichzelf en de hele familie met smeergeld en smeekbeden veilig het gebied uit te smokkelen. Tijdens al die omzwervingen, ondergedoken in schuren om gevangenschap te ontlopen, wist ze al haar dierbaren en verschillende andere groepen mensen veilig over door oorlog geteisterde grenzen te loodsen, vond ze haar eigen moeder, broer en zuster terug, die ze tijdens de aardbevingen uit het oog was verloren en regelde ze de overtocht voor mijn oudste broer: aan hem de taak mijn vader op te sporen, die naar verluidt in Engeland zat.

's Avonds laat, als deze verhalen aan mij en mijn kleine broertje werden verteld, meestal rond bedtijd of op winteravonden als het vroeg donker was, smolt de wereld buiten de deur van ons huis in oostelijk Birmingham weg. Op bijna magische wijze werden we dan weggevoerd naar de mythen in de wereld van mijn moeders geest en haar herinneringen aan een leven dat ze ooit ver weg had geleid. Lange tijd na de verschrikkingen in India, werden mijn kleine broertje en ik geboren. Mijn vader was natuurlijk door een wonder gevonden en langzaam maar zeker had hij hen, met behulp van de kerk, gered. Er gingen vele jaren overheen en de ontberingen waren nog niet voorbij, maar de sleutel lag als immer bij god en bij de wonderen. .

Elke kerk waar ook ter wereld reist zijn gelovigen desnoods achterna, en zo ging het ook bij de sikhs, er waren sikhs die zich in Engeland hadden gevestigd, en dus werd mijn vader achter hen aangestuurd. Na de Onafhankelijkheid wilde het subcontinent India de wereld tonen dat het over verhandelbare natuurlijke hulpbronnen beschikte. Mensen stonden boven aan die lijst van beschikbare grondstoffen en dus werden ze halverwege de twintigste eeuw dan ook in hele hordes geëxporteerd.

In dit herziene scenario kreeg mijn vader een sterke rol toebedeeld, hij was inmiddels een ouder lid van zijn gemeenschap, hij had over de hele wereld gereisd en hij beheerste verschillende talen. Zijn kerk had hem op allerlei studiereizen gestuurd om uit te zoeken hoe je logistiek gezien een groep mensen die losjes in een uiterst jong geloof als dat van de sikhs waren geworteld, naar een ander land kon verplaatsen. Hij was betrokken bij de oprichting van een im- en exportbedrijf met winkels om fondsen te werven. Van het geld kocht hij een eenvoudig pand waar hij een tijdelijke verzamelplaats van maakte voor de sikhs die zouden komen, en komen deden ze. Eerst de slimme, geleerde of nuttige mensen. Van het bescheiden eerste begin van een rijtjeshuis in Yorkshire, verspreidden ze zich en namen ze buurt voor buurt hele gebieden over. Ongeschoolde arbeiders gingen naar de fabrieken en religieuze politici voerden een lobby voor zaken, huisvesting of integratie. In nog geen tien jaar tijd vestigde zich een bloeiende sikh-gemeenschap in Engeland met eigen winkels, bedrijven en tempels.

Mijn vader was inmiddels naar de Midlands verhuisd en had de leiding over een van de grootste gemeenschappen buiten de Pundzjaab. Herenigd met mijn moeder en de rest van zijn familie, streek hij neer voor een welverdiend bestaan.

De eerste paar jaren was mijn moeder min of meer gelukkig. Ze vertelde me dat ze het koude grijze weer niet erg vond, en zolang als de kinderen haar nodig hadden was dat waarschijnlijk ook zo, maar al snel kregen die zelf een gezin en begonnen ze een thuis voor zichzelf op te bouwen. Nu ze steeds minder te doen had, raakte ze steeds verder in zichzelf gekeerd, tegen de tijd dat mijn kleine broertje en ik werden geboren, was er niet meer van haar over dan de schulp van haar vroegere ik. De jaren van ontbering hadden hun tol geëist, zodat ze in het grootste gedeelte van mijn herinneringen een kleine, weggekwijnde oude vrouw is die een groot gedeelte van haar tijd biddend doorbracht of in bed, herstellend van een of andere kwaal.

Haar laatste twee zwangerschappen had men aangezien voor het begin van de menopauze en uit de manier waarop mijn kleine broertje en ik werden grootgebracht, bleek duidelijk dat wij een ongewilde extra last waren in haar toch al zo vaak overhoop gegooide leven.

Ze was niet onaardig tegen ons, ze wist gewoon niet meer hoe ze het op moest brengen. Als echtgenote van een vooraanstaande oudere in onze gemeenschap had ze veel te zeggen over de talloze huwelijken die ze nog steeds tot stand bracht en ze organiseerde feesten voor allerlei gelegenheden, maar de moderne wereld buitenshuis drong zichzelf te snel haar beperkte universum binnen.

De laatste keer dat ze echt op de bres sprong voor haar recht om voor zichzelf te denken, was op de dag waarop de rest van de wereld op de maan landde. Mijn vader was een paar maanden voor de gebeurtenis met pensioen gegaan en voor het eerst in hun leven woonden mijn ouders in hetzelfde huis en brachten ze samen de dagen door. Hiermee leek opnieuw een last van mijn moeders schouders te zijn afgevallen en ze leek van de nieuwe stand van zaken te genieten. Nu mijn vader meestal thuis was, ook al hield hij zo nu en dan nog steeds een toespraak of moest hij naar een officieel diner, kregen hij en mijn moeder tijd voor elkaar.

Hij hielp haar bijvoorbeeld met beslissingen in het huishouden en ze gingen winkelen of 's avonds een ommetje maken na het eten. Andere broers en zussen vertelden me hoe gelukkig mijn broertje en ik ons moesten prijzen in zo'n bevoorrechte situatie. De oudere kinderen hadden onze vader nooit echt goed gekend, hij was er nooit en als hij thuis was, had hij het te druk om ook maar een oppervlakkige, laat staan een liefdevolle band met ze op te bouwen. Zij spraken van een sterke, kille man die weinig vreugde en geen vrolijkheid kende.

Dit klopt, het was iets waar vele anderen uit onze gemeenschap ook van stonden te kijken, in dit latere gedeelte van zijn leven was hij kalm en vrolijk en hij speelde vaak met mijn broertje en mij. Er waren kleinkinderen gekomen en mijn vader en moeder stopten veel energie in zorg en ondersteuning, ze verschaften een fundament van warmte en gezelligheid, waar de familie op kon bouwen. Ze pasten op, gaven zakelijk advies, hadden altijd tijd voor een gesprek en genoten daardoor veel respect en bewondering, zowel binnen onze eigen cultuur als in de gastcultuur waar ze nu in woonden.

Op een dag kwam er een zakenman bij ons op bezoek die mijn vader nog had geholpen bij het opzetten van zijn bedrijf in elektronica, en hij nam een geschenk mee: een gloednieuwe televisie van het nieuwste model, een zondekist. Hij zei tegen mijn vader dat dit de nieuwe wereld was en dat onze gemeenschap er wel bij zou varen als ze de nieuwe technologische mogelijkheden ervan zou omarmen. De BBC had al een afdeling voor Aziatische programma's in de lucht en mijn vader had de programmamakers al geadviseerd vanwege zijn werk als lid van de Raad voor Interraciaal Overleg, dus hij wist tot welke krachtige invloeden het ding in staat was. De brenger van het geschenk maakte duidelijk dat het de mensen eerder over de streep zou trekken als een gerespecteerde ouderling als mijn vader zo'n ding in huis haalde.

Hij stelde ook dat dit voorwerp makkelijk te fabriceren was en dat het in de toekomst veel werkgelegenheid zou geven, want hoe meer ze werden gebruikt, hoe meer er kapot zouden gaan en hoe meer ze moesten worden gerepareerd, dus hoe beter zijn zaken zouden floreren. Mijn vader hoefde niet veel langer te worden overtuigd. De hype in de media rond de komende expeditie van de Apollo naar de maan zou een van de hoogtepunten in de geschiedenis worden en deze man wilde dat wij een van de voorlopers werden die het toestel onze kleine gemeenschap in zouden brengen.

De zaak was beklonken, we kregen een enorm grote nieuwe zondekist en mijn vader begon rond te bazuinen dat iedereen er een moest hebben. Als mijn vader niet thuis was, legde mijn moeder ons tv-kijken aan banden, met haar gebruikelijke wantrouwen jegens alles wat van buiten kwam. Het viel in dezelfde categorie als telefoons en fototoestellen; als je niet uitkeek, werd je van je ziel beroofd. In haar mystieke wereld leek het wel of alles je van je ziel beroofde.

Op de dag dat wij op de maan landden, was zij er allang van overtuigd dat de geesten van de mannetjes in de zondekist van duivelse makelij waren. Ik denk dat dit er eerder mee te maken had dat mijn vader inmiddels meer tijd voor de tv doorbracht dan met haar, dan dat ze hier werkelijk spiritueel of wetenschappelijk bewijs voor had, maar dit werd haar manier van redeneren en op de avond van de landing op de maan, denk ik dat ze haar gelijk probeerde te bewijzen.

We waren er allemaal heel erg opgewonden van en mijn vader had een hele lading eten en drinken voor ons klaargezet, omdat het nog een lange zit zou worden. Het was alsof we buiten kampeerden. Al het beddengoed was naar de woonkamer beneden gehaald en we installeerden ons rond de zondekist alsof het een kampvuur was. Vlak voor de daadwerkelijke landing glipte mijn moeder de kamer uit. Even later zweefden het geluid van haar gebedsbelletje en de geur van wierook door de gang.

Religieuze liederen zingend kwam ze met de gebedsmat onder haar arm en haar rinkelende belletje de woonkamer weer in en liep naar de zondekist, en ervoor richtte ze een keurig altaartje in. Vervolgens ging ze er tot onze stomme verbazing met haar benen gekruist naast zitten en begon voor zich uit te bidden. Toen ik vroeg wat er aan de hand was, legde ze me geïrriteerd het zwijgen op en zei tegen ons dat haar goden die op de maan woonden op het punt stonden ons met Hun Aanwezigheid te verblijden, dat we stil moesten zijn en respect moesten tonen en bidden voor onze zonden.

Mijn broertje en ik probeerden haar aan het verstand te brengen dat er op de maan alleen maar stof en rotsen waren, maar haar gezang leek alleen maar sterker te worden en ze keek ons aan met een blik van: wacht maar. Mijn vader had zich altijd verdraagzaam getoond ten opzichte van wat hij beschouwde als haar excentrieke kluizenaarsgeloof in zonderlinge kleine spookgoden van stenen en bomen, en zoals altijd kondigde hij op geringschattende toon aan dat hij een pot sterke thee ging zetten.

Hij verzekerde ons dat mijn moeder dat nodig zou hebben als zijn Enige en Alomtegenwoordige God met behulp van de wetenschap haar stupide ideeën naar het land der fabelen zou verwijzen.

Armstrong kwam uit de maancapsule, sprong wat rond en installeerde de Amerikaanse vlag.

Mijn vader kwam terug met de thee en met een minachtende blik bood hij mijn moeder triomfantelijk een kop aan. Ze nam de kop en nipte er langzaam van met glazige, nadenkende ogen. Vervolgens ruimde ze stilletjes haar bidbenodigdheden bij elkaar en zei tegen ons dat die blanke mensen uit het Westen verloren zielen waren, maar dat je ze hun onwetendheid niet kon verwijten. Net als kinderen moest je met ze meepraten, voor het geval ze in hun verwarring toch toevallig iets bereikten.

Ze had geprobeerd de Westerlingen het voordeel van de twijfel te gunnen en haar huis in gereedheid gebracht voor de maangoden, maar het was duidelijk dat de Amerikanen een of ander duister gebied in Afrika hadden ontdekt, terwijl ze dachten dat ze op die grote mysterieuze en magische bol waren geland. Voor haar bevestigde dit alleen maar dat de zondekist des duivels was en terwijl ze het hele gebeuren afdeed als een zieke grap en een vorm van blasfemie, ging ze de kamer uit en verbande de geschiedenis in wording voor eens en voor altijd uit haar leven. Daarna werd ze nooit meer helemaal de oude en ze eiste zelfs dat de zondekist naar mijn vaders studeerkamer zou worden verplaatst, waar zijn god dan maar moest proberen de demonen onder controle te houden.

Het gesprek aan tafel was inmiddels verstomd. Janice gaf me een kop thee en Sarah bleef mijn ogen met zakdoekjes deppen. Kennelijk was ik afgedwaald in een soort trance; de tranen liepen al een tijdje over mijn gezicht. John de dichter en Mary de mystica hadden de kinderen naar boven gebracht. De overige huisgenoten waren eveneens naar hun kamer verdwenen. Ik begon tegen Janice te tieren dat ze ondankbaar en egoïstisch was, en dat nog wel jegens precies die mensen die haar tot leven hadden gevoed, gekleed en gebaad.

Zowel zijzelf als Sarah bleef gewoon zitten en liet me een beetje uitrazen en toen ik mezelf ten slotte helemaal murw had geschreeuwd, hielden ze me vast en troostten me, aaiden en grapten me in slaap.

De dag daarna bracht Sarah de kinderen naar de crèche terwijl de anderen om beurten bij me zaten. Ik was zo'n beetje ingestort en er werd besloten dat hasj roken en alleen zijn moesten worden vermeden. Mijn nieuwe familie was lief voor me en deed heel erg haar best om me te helpen, maar mijn problemen waren heel verwarrend omdat er in feite lichamelijk niets aan de hand was.

Martin offerde een groot deel van zijn dagrust voor me

op, maar ik kon alleen maar huilen of slapen. Uiteindelijk was het Sarah die me redde. Ze kwam bij me zitten en las me voor. Mary en Janice gaven de kinderen te eten en kleedden ze uit en aan, John en Xavier hielden ze daartussendoor om beurten bezig. Nigel en Morgan kwamen af en toe langs, maar Sarah was er altijd als ik haar nodig had.

10
De vriend van de dichter

Tegen de kerstvakantie ging het al een stuk beter. De anderen verdwenen inmiddels een voor een voor de feestdagen. Janice zei bij het afscheid nemen dat ze van me hield.

Niemand had ooit zoiets tegen me gezegd.

In mijn moedertaal wordt het woord 'zorg' ook wel gebruikt als het woord voor 'liefde', soms zelfs voor 'dierbaar' of 'verlangen', maar een speciaal woord voor 'liefde' is er niet echt. De drie vormen van het woord worden zelden in de zin van 'liefde' gebruikt, en al helemaal niet zomaar in het openbaar.

Nog nooit had iemand zomaar tegen me gezegd dat hij van me hield, nooit.

Janice omhelsde me en zei dat ze er bij haar ouders absoluut het beste van zou maken. Met een lieve glimlach gaf Rosie me een verzameling cadeaus voor Vinny en Arie. Die avond vertrokken Jane en Danny naar de familie in Ierland, alweer een stapel cadeautjes voor onder de kerstboom achterlatend, evenals Mary en Sophie de volgende ochtend.

De zak met cadeautjes waar een maand geleden een begin mee was gemaakt toen Xavier naar Latijns-Amerika was vertrokken, had inmiddels een behoorlijke omvang gekregen. De avond voor ze weg zouden gaan, zeiden Sarah en Martin dat het misschien wel goed voor me zou zijn om eens lekker uit te gaan. John en Martin zouden op de kinderen passen en Sarah vroeg of ik meeging naar een concert.

Mijn eerste popconcert werd gegeven door de Au Pairs, een alternatieve feministische band, en het was fantastisch! Het was halfdonker in de zaal, vol vreemdsoortige, kleurrijke jonge mensen die stonden te kletsen, te drinken en te lachen. Toen we ons een weg naar de bar wrongen door de menigte, werd Sarah door veel mensen gegroet. Ik was hoogst verbaasd dat ze hen allemaal kende. Thuis studeerde ze veel, maar dan zat ze altijd alleen op haar kamer. Ik wist wel dat ze colleges had en zo, maar ik wist eigenlijk nooit precies waar en hoe.

Dit was haar studentenleven. Voor de band begon, leidde ze me rond door de gebouwen. Overal waren docentenkamers en collegezalen en jassenruimtes en koffiehoeken. Bibliotheken, kantoren en tentoonstellingsruimtes. Prikborden en strooifolders kwamen je van alle muren in alle gangen tegemoet, en dan was er natuurlijk de kroeg.

Drankgebruik leek een groot deel van elke studie te vormen, en de studenten werkten er hard aan om dat duidelijk te maken.

Sarah noemde een hele trits authentieke ales waar ik uit kon kiezen, en de rillingen liepen me over de rug bij de herinnering aan de avond met Jannie, toen ik voor het eerst lagerbier had geproefd. Iemand die achter Sarah stond, zei haar dat ze een glas witte wijn voor me moest halen, en een klein ondeugend, ovaal gezichtje piepte over haar schouder. Plotseling was er een uitbarsting van vreugdekreten, er werd omhelsd en gekust door Sarah en de persoon achter de ondeugende glimlach, en vervolgens werd ik aan Lenny voorgesteld. Dit was niet haar echte naam, maar iedereen noemde haar Lenny omdat ze politicologie studeerde en een expert was op het gebied van Marxisme en Lenin.

Ik wist niet precies wat dat was, maar in huis had ik 's avonds laat tijdens bijeenkomsten wel gesprekken over deze onderwerpen gehoord. Het klonk altijd erg ingewikkeld en geen van deze gesprekken eindigde ooit in overeenstemming. Lenny kwam uit Leeds en ze had een rare, soort muziekachtige manier van praten. Ze vloekte vaak als ze aan het woord was en tegen mij zei ze dat ze een punker was. Onder alle staafpiercings en vreemde zwarte make-up had haar huid een iets lichtere tint dan de mijne, maar te donker voor die van een Angelsaksisch-Britse. Op mijn vragende blik vertelde dat ze het resultaat was van een Perzische vader en een Schotse moeder.

De witte wijn bleek een goede keuze te zijn. Achteraf een beetje droog en zuur in de mond, maar fruitig en makkelijk te drinken.

Tegen de tijd dat de band begon, had ik twee glazen op en Lenny en Sarah hadden zo'n drie à vier pinten ale achterover geslagen. Ik voelde me heel erg licht in het hoofd en de lampen en de kleuren glinsterden helder in mijn hoofd. De muziek leek inmiddels mijn zintuigen te vullen en toen de band begon te spelen, gingen we verder de dansvloer op.

Na de eerste paar nummers had het publiek het ritme van de band te pakken en in het uur dat daarop volgde, raakte ik voor het eerst van mijn leven al dansend in een soort oertrance. Het zweten en giechelen en het feit dat ik niets anders voelde dan de drang van mijn ledematen, gaven me, samen met de lichte duizelingen in mijn hoofd van de drank een heerlijk gevoel.

Alleen in de kerk was ik ooit in de buurt van een dergelijke staat van geestelijke bevrijding gekomen, als het zitten tijdens het gebed zo lang duurde dat het pijn ging doen, je knieën verdoofd raakten en de stem van de gebedslezer hypnotiserend ging werken. Plotseling ontdek je dat je je ledematen niet meer voelt en dat je nog niet het minste besef hebt hoe je ze mogelijk zou kunnen beheersen. Je kunt alleen maar ademen en de tijd verstilt in oneindigheid bij het simpele geluid van de menselijke stem die tonige vormen aanneemt als eerbetoon aan de geest en de ziel in de naam van god. Sommige mensen hebben echt talent voor gebedslezen, had mijn vader verteld, maar ik denk dat het er meer mee te maken heeft dat je doorbloeding het niet meer trekt als je uren achtereen in kleermakerszit doorbrengt, met je ogen dicht en zonder steun in je rug.

Ik vond dat dansen toch als een veel betere manier voelde om hetzelfde effect te krijgen, tot de volgende ochtend natuurlijk. Overigens bleek vooral de drank, of eerlijk gezegd de kater, het grootste probleem te zijn. Over deze kleine extra ervaring, deze bonus bij het drankgebruik, had niemand me ingelicht, maar ik had anderen in huis ditzelfde zien ondergaan, zonder echt te snappen hoe het voelde.

Als ik mijn ogen in hun kassen bewoog deden ze pijn, zelfs met mijn ogen dicht, en de pijn als ik ze open probeerde te doen, wens ik mijn ergste vijand niet toe. Sarah kwam aan mijn bed met een grote kan water en een glas met iets bruisends erin. Eerst goot ze de inhoud van het glas bij me naar binnen, en daarna zei ze dat ik zo veel mogelijk water moest drinken. Ik moest maar in bed blijven liggen tot ik me beter voelde en John zou voor de kinderen zorgen.

Het bruisende spul leek te werken en precies op het moment dat Martin en Sarah aanstalten maakten naar het noorden te vertrekken, wist ik de trap af te waggelen. Lenny en John zaten aan tafel met Vinny en Arie tussen hen in, het ontbijt zag eruit als één groot snoepfestijn. Chocoladecake, ijs en allerlei zoete en misselijkmakende dingen lagen over de grote houten tafel verspreid. De supermarkt bleek voor de kerstsluiting een speciale uitverkoop te hebben gehouden om de laatste voorraad de deur uit te werken.

John had de hele nacht zitten schrijven en was heel vroeg naar buiten gegaan om zijn hoofd wat lucht te geven. Na veel omhelzingen en knuffels lieten de kinderen Sarah en Martin gaan.

Zulke liefde had ik als kind nooit gekend

John troostte de kinderen door te zeggen dat tante Sarah en oom Martin snel weer terug zouden komen.

Ik kreeg het gekke gevoel dat ik erbij hoorde, dat ik een plek had gekregen in mijn nieuwe wereld, in plaats van dat ik een toeschouwer was.

Lenny had geen familie waar ze de kersttijd mee door wilde brengen en zou tijdens de vakantie in Sarahs kamer zitten. Onze voedselvoorraad was groot genoeg om een klein leger wekenlang te eten te geven en overal in de televisiegids stonden cirkeltjes om de tijden en titels van aanbiedingen van de zondekist, kerst zou weldra officieel beginnen.

John wilde slapen omdat hij de hele nacht geschreven had en Lenny stelde voor met de kinderen een eind langs de rivier te gaan wandelen. Ze zei dat dit ook goed zou zijn voor mijn kater, frisse lucht en daglicht en zo, terwijl ze de kinderen en mij driftig onze jassen in loodste.

Het is best lekker om iemand te hebben die de dingen voor je organiseert als je een kater hebt, maar Lenny was een manisch organisator. Ze organiseerde van alles, demonstraties, betogingen, discussies en debatten en ze praatte ook een heleboel. Tijdens die ene wandeling kwam ik te weten dat ze op haar zestiende uit een kindertehuis was weggelopen. Toen haar vader terug naar Perzië was gegaan, had haar moeder een zenuwinzinking gekregen. Zij en haar broertje werden zo'n drie jaar in pleeggezinnen ondergebracht, tot zijzelf onhandelbaar agressief werd. Ze lieten haar een hele serie inrichtingen en medicijnkuren ondergaan, waarvan het grootste gedeelte aan concentratiekampen deed denken.

Ik weet niet wie 'ze' waren, maar ze klonken kwaadaardig.

Nadat Lenny een tijdje dakloos was geweest, ontmoette ze een prostituee die haar de kneepjes van het vak leerde, en twee jaar lang lag ze op haar rug om het geld voor haar studie te verdienen.

Ze studeerde om haar opleiding op te frissen en daarna door te gaan voor haar masterstitel. Ze hoefde niet langer prostituee te zijn, omdat ze het geld nu parttime kon verdienen als juridisch adviseur bij het plaatselijke bureau voor rechtshulp.

Het was een waanzinnig verhaal. Ik kon me niet beheersen, en vroeg verder naar haar leven in de prostitutie. Hoeveel, hoe vaak en daarna ook gewoon hoe. Hoe ze het in vredesnaam met zo ongeveer iedereen kon doen. Dat was het makkelijke ervan, bekende ze, ze hield van vrijen, ze vond het gewoon heel, heel lekker. Al sinds de eerste keer dat ze het deed, op haar dertiende met een tekenleraar. Ze kon veel meer klanten aan dan de meeste andere meiden

Achter al haar snelle, goedgebekte gepraat en snelle grappen vermoedde ik veel donkere barsten, maar het voelde prima om maar gewoon te wandelen en te luisteren.

Later staken we de haard in de woonkamer aan. Lenny en de kinderen keken naar de zondekist terwijl ik iets te eten maakte. Dit bleef de komende dagen die ons schema: wandelen, koken, zondekist-kijken.

De avond voor kerstavond kondigde John aan dat hij een goede vriend had uitgenodigd om de twee grote dagen met ons te vieren. Er was ruimte te over nu de anderen weg waren, maar hij vond dat hij mij en Lenny hoorde te vragen of we er bezwaar tegen hadden. Dat hadden we geen van beiden.

De volgende dag stond John vrolijk en vroeg op. Toen ik die ochtend naar beneden kwam, was hij druk met de kinderen aan het schoonmaken. Ik had het er nog nooit zo schoon gezien, en op dat moment waren ze bezig alle kerstkaarten in lange slingers te rijgen om ze met plakband aan de muur onder de kerstboom te hangen.

De boom, in feite een door Mary de mystica op rituele wijze aangetroffen dode tak, die ze helemaal van het bos bij Snuff Mills in de bus naar huis had meegesleept, hing boven de open haard. Hij was versierd met kleine figuurtjes, vervaardigd van hele dunne strootjes: maïspopjes werden ze genoemd. Aan de boom hingen ook rare eetbare dingen, die in felgekleurd papier waren gewikkeld, ze bungelden aan zijdeachtige draadjes aan de twijgen. Deze zoetigheden had Mary zelf gemaakt van tuttifrutti en glazuur.

Vanzelfsprekend hadden de kinderen bij het optuigen en ophangen geholpen, zij vonden het een prachtige kerstboom. Ik ook. Veel mooier dan die vreselijke plastic bomen uit de winkelstraat en veel milieuvriendelijker dan de bomen die alleen maar worden gekweekt om te worden gekapt en als voer te dienen voor de kapitalistische hyperconsumptie. Zeiden de huisgenoten.

Indertijd snapte ik niet wat dat betekende, maar de boom was heel mooi en hij veranderde de woonkamer aanzienlijk. Hij hing aan het plafond en aan de muur, en het leek alsof hij uit de open haard kwam zetten, als een magische wilg vol glinsterende dingen. Er kwam geen peertje of kunstlicht aan te pas.

De woonkamer was inmiddels zeer duchtig gestoft en gezogen, en de keuken blonk je tegemoet.

Dit vond ik nogal verontrustend,.

John was een hele lieve en aardige man, en een geweldige kok, die met zijn rare en duistere bibliotheekboekrecepten fantastische gerechten wist te bereiden, waarvan ik de namen nauwelijks kon uitspreken.

Maar een poetsheld was hij niet.

Zelfs tot zijn persoonlijke hygiëne moest hij gewoonlijk worden aangespoord. Niet dat hij nou een vies stinkend iemand was of zo, maar je moest hem eraan herinneren dat zijn haren vet waren, of soms dat hetgeen op zijn gezicht groeide, het stadium van baard bijna had bereikt. Zijn gevoel voor hoe hij zich moest kleden was ook niet echt iets om over naar huis te schrijven, gewoonlijk deed hij niet de minste poging om welke mode dan ook te volgen, zijn klerenkast was meer iets waar anderen zich om bekommerden, zoals zijn moeder, die hem pakketten met T-shirts en onderbroeken stuurde, en zo nu en dan een zelfgebreide trui. Verder had hij een allegaartje van afdragertjes van huisgenoten of vreemde kledingstukken die zijn aandacht hadden getrokken op rommelmarkten en in tweedehandswinkels waar hij op regenachtige middagen meestal rondzwierf, als hij niet in een museum of galerie te vinden was. Hij was een gewoontedier en dit waren zijn gewoonten, tot nog toe.

Toen ik hem een kop thee bracht – hij was nog steeds met de kinderen bezig de kaarten te rijgen – merkte ik dat hij zichzelf die ochtend helemaal glanzend schoon had geschrobd en zich perfect had geschoren zonder ook maar een enkele plakkerige pleister.

Hier was iets aan de hand.

Zijn kleren zagen er keurig netjes uit en hij droeg een das.

De das had een gruwelijke oranje kleur en stak scheef over de boord van zijn groenbruine trui, de kraagpunten van zijn overhemd leken omhoog te krullen in een poging ieder contact met de trui te vermijden.

Het leek mij maar het beste om zo vroeg op de avond geen vragen te stellen, hij vroeg of ik even kwam zitten om te praten.

Plotseling hoorden we Lenny in de keuken en de kinderen gingen ogenblikkelijk naar haar toe om haar te ondervragen over de kerst, cadeautjes en spelletjes.

Plotseling strekte John zijn hand uit en pakte de mijne, die op mijn schoot lag. Hij zei dat hij me het een en ander moest vertellen over de gast die hij verwachtte.

11
Paniek

Even was ik van mijn stuk gebracht. Sikhs hoorden thuis in een leven dat voorbij was, het andere leven, het leven waarin ik inmiddels niet meer thuishoorde.

Het idee dat ik in mijn nieuwe leven een sikh zou kunnen ontmoeten was nog niet bij me opgekomen.

In de afgelopen vijftien maanden had ik exact één keer een sikh gezien.

Ik kwam in Bath uit de supermarkt. De stoplichten sprongen op rood en de stroom auto's kwam tot stilstand.

Toen ik de straat op stapte spoot er een taxi naar voren. De klap tegen mijn ribben kon niet voorkomen dat ik zag wie er achter het stuur zat: een sikh met een tulband.

Ik viel op de grond en de mensen begonnen te schreeuwen en bonkten op de motorkap van de taxi, die vol had geremd. Terwijl de chauffeur zich door de boze menigte heen werkte, ging ik er razendsnel vandoor. De tassen met boodschappen liet ik liggen, het bloed droop langs mijn kin. Ondanks de pijn in mijn ribben bleef ik rennen.

In een vlaag van waanzinnige paniek zag ik op de volgende straathoek een bus staan. Op het moment dat de deuren dichtsloegen sprong ik naar binnen. Het zweet liep in stralen langs mijn gezicht, vermengd met bloed en tranen. Ik keek achterom. Had hij mij in de bus zien stappen?

Met trillende handen gaf ik het geld aan de beduusde en geïrriteerde conducteur. Hij moest een paar keer vragen waar ik naartoe wilde. De andere reizigers knikten en keken naar mij. Gelukkig zat mijn portemonnee nog in mijn jaszak. Ik mompelde als smoes dat ik gevallen was.

Mijn gezicht veegde ik schoon met een zakdoekje dat een vriendelijke oude vrouw me aanbood, en ik bleef zo lang zitten als mijn geld me toeliet. Toen ik vanaf een benzinepomp bij de volgende halte naar huis belde, bleek dat ik vlakbij de A4 zat. Xavier kwam me halen; hij wilde me meenemen naar het politiebureau om aangifte te doen.

Het duurde een eeuwigheid voordat ik hem en de andere huisgenoten ervan had overtuigd dat de Aziatische netwerken kriskras door de meeste overheidsdiensten heen lopen. Zelfs de maatschappelijk werker wist van de moorden af, en had de sociale dienst weten over te halen om mijn aanvraag steeds van kantoor te laten wisselen om ervoor te zorgen dat ze me niet te pakken zouden krijgen.

De huisgenoten dachten in eerste instantie dat ik hysterisch was geworden.

In die tijd rookte ik veel hasj, en het was niet raar als je daar paranoïde van werd. Later, tijdens het avondeten, kreeg ik steun van Janice die vertelde hoe de Aziatische gemeenschap contracten uit liet gaan om weggelopen vrouwen op te sporen, evenals iedereen die hen hielp. Ze zei dat er op de universiteit lezingen over dit onderwerp waren gehouden en veel vrouwengroeperingen hadden er gegevens over verzameld. En met een paar gedetailleerde gruwelverhalen over hoe de politie lichamen had aangetroffen en goed onderbouwde uiteenzettingen over hoe een informatienetwerk kan worden opgezet met individuen die werkzaam zijn in een institutionele omgeving, slaagde Janice erin mijn angst voor de anderen te verklaren.

Er zaten Aziatische mannen bij de politie, bij de gemeente, in het welzijnswerk of zelfs als dokter in het ziekenhuis. Tegen de tijd dat een contract was uitgevaardigd en lang genoeg had gecirculeerd, was iedere gelovige Aziatische taxi-chauffeur, winkelier of rechter op zoek naar de vluchteling.

In mijn hoofd vermengde dit beeld zich met flitsen uit een andere tijd, vele jaren daarvoor. Een foto van mijn tante in de krant, huilend omdat haar dochter werd vermist, misschien wel ontvoerd? Maanden later mijn nichtje, gruwelijk mishandeld door de vermoedelijke ontvoerders, liggend in bed in het huis van mijn oom. Het geld dat ze had meegenomen, hadden de zogenaamde ontvoerders gestolen.

Twee dagen nadat ze me had toevertrouwd hoe ze het geld had weggenomen om het land uit te komen, stierf ze.

Haar hese gefluister vanuit een blauw opgezwollen mond, die me vertelde hoe ze drie weken lang in stationstoiletten en parkeergarages had geslapen in de hoop niet te worden gepakt.

Iemand bij de paspoortcontrole had de sikhs meteen gewaarschuwd, en bij Dover was ze vastgehouden tot ze haar kwamen halen. Er kwam geen ontvoerder aan te pas; ze was nog maar zeventien jaar.

Onder mijn handen kon ik nog steeds de verzwakte en versplinterde botten voelen van toen ik haar dodelijke verwondingen schoonmaakte en vertroetelde met schone kompressen, en weer een beeld, nu een kleine doodskist en een stem in mijn oor die riep dat ze nu op de enige plek was beland waar ze nog welkom was: de hel.

Niemand huilde, behalve dan voor de camera's van de journalisten, om het verhaal van de tragische ontvoering overeind te houden en de blikken van de ouderen verzekerden de jonge vrouwen onder ons dat dit het lot was van wie wegliep.

Opeens hoorde ik John mijn naam schreeuwen en ik voelde hoe zijn handen me uit de trance schudden, hij bleef me maar smeken of ik wilde luisteren en hij beloofde dat hij zijn vriend zou vertellen dat hij niet moest komen als ik het niet aankon. Opnieuw raakte ik in de ban van een golf van paniek en ik sprong op en rende de keuken in. De kinderen, ik moest de kinderen verstoppen. Precies op dat moment ging de voordeurbel en ik viel flauw.

Het eerste wat Morgan en Nigel me vertelden toen ik mijn ogen weer opendeed, was dat Lenny de kinderen mee had genomen naar de kinderboerderij in de stad om yoghurt te halen in de bijbehorende winkel. Ze waren langsgekomen om nog meer cadeautjes te brengen voor onder de boom.

John ging naast hen zitten en legde opnieuw uit waarom hij nog een sikh in huis had uitgenodigd. Morgan streek door mijn haren en Nigel zat er heel waakzaam bij, met zijn borstkas een beetje vooruit in een poging mij gerust te stellen met zijn beschermende, mannelijke aard. Deze sikh, deze vriend uit India die nu in Londen studeerde, was kennelijk anders dan de andere sikhs. Hij was niet zoals de sikhs die achter me aan zaten, integendeel, hij was zelfs speciaal gekomen om mij te leren kennen vanwege de moed die ik had getoond door in opstand te komen tegen mijn eigen soort. Hij was het milieu zelf ook ontvlucht. Na nog een kop zoete, hete thee en meer informatie over de achtergrond van deze gast, vroegen ze me of ik hem wilde ontmoeten.

Hij zat beneden, en als ik me niet veilig voelde, zouden ze hem meteen wegsturen.

Ik knikte van ja.

John stormde weg en riep iets langs de trap naar beneden. Langzaam en aarzelend kwam Gursh mijn kamer binnen. Even bleef hij heel stil staan, toen stak hij zijn hand uit en stelde zich voor.

Iedereen keek naar mij en ik stond op uit mijn stoel om zijn hand in de mijne te nemen.

Hij was inderdaad een echte sikh, lang en elegant, slank gebouwd en met scherpe, hoekige trekken. Er kwam meer thee op tafel en de sfeer werd een beetje ontspannen. Tegen de tijd dat Lenny terugkwam met de kinderen en de yoghurt, wist ik dat Gursh in Engeland was opgegroeid, maar dat hij naar India terug was gestuurd voor een huwelijk dat geld in het laatje van het familiebedrijf zou brengen.

Bij een tussenlanding was hij van het vliegtuig gestapt en in het geheim teruggereisd. Ook hij kon niet terug. De familie van zijn toekomstige bruid zat achter hem aan omdat hij ze met zijn daad had vernederd.

Ik had nog nooit gehoord van een mannelijke sikh die was weggelopen, ik dacht altijd dat de jongens het in onze cultuur beter hadden dan de meisjes. Morgan en Nigel besloten dat ze zouden blijven slapen en een soort feeststemming verspreidde zich door het hele huis. Die avond zat ik voor het eerst in mijn nieuwe wereld met meer sikhs dan niet-sikhs aan tafel. Vinny, Arie, Gursh en ik, plus de bekeerde Nigel waren met meer dan John, Morgan en Lenny samen. In het begin waren de kinderen niet zo op hun gemak bij Gursh; ook zij hadden sinds ons vertrek bij de familie geen Aziatische man meer om zich heen gehad. En gezien Vinny's laatste treffen met de bommenmaker, vreesde ik hun reactie. Ze deden precies wat de meeste kinderen van drie en vier doen als ze een nieuw iemand leren kennen.

Verlegen verstopten ze zich achter degenen in de kamer die ze wel kenden, en af en toe kwamen ze daarachter vandaan, om langzaam dichterbij te komen om de vreemdeling te bekijken. Toen het avondeten klaar was en op tafel stond, waren we allemaal een stuk beter op ons gemak, maar de sfeer was nog steeds een beetje gespannen.

De kinderen waren nu vreselijk opgewonden over de kerstman en de gedachte dat ze straks cadeautjes zouden krijgen was natuurlijk bijna ondraaglijk. Vele pogingen werden ondernomen om ze in bed te krijgen. Eerst ik, toen Morgan, toen Lenny, en toen probeerden de mannen het. We besloten het Nigel niet te laten proberen, omdat hij altijd een bepaalde uitwerking op Vinny en Arie had: volslagen gekte, hij speelde meestal met ze dat hij het kietelmonster was, met alleen maar totale hysterie tot gevolg.

Uiteindelijk was het Gursh die erin slaagde hen naar dromenland te voeren door oude volksliedjes uit Pundzjaab te zingen. Mijn eigen taal had ik al zo lang niet gesproken en gehoord, dat ik uit mijn evenwicht gebracht werd door het geluid van zijn gezang, dat zachtjes door de gang zweefde. Vlak bij de deur van de kinderslaapkamer ging ik op de trap zitten luisteren.

Gursh had een schitterende stem en toen hij op zijn tenen de slaapkamer uit kwam nadat de kinderen in slaap waren gevallen, zat ik nog steeds op de trap, opnieuw dwalend in gedachten en herinneringen aan mijn vorige leven. Hij ging naast me zitten en vroeg of alles in orde was. De geur die hij uitstraalde overdonderde me een beetje. De bekende geur van de olijfolie op zijn haar onder zijn gesteven tulband stroomde mijn neusgaten in en ik zat zo ongeveer te trillen van verwarring. Zachtjes legde hij zijn arm om mijn schouder en hij hielp me overeind en liep met me mee naar de woonkamer. De anderen hadden alles intussen al in gereedheid gebracht. De kaarsen en het open vuur in de haard hulden de kamer in een magisch licht.

De boven ons hangende boom en de versieringen dansten tussen de schaduwen door en Billie Holiday zong op de achtergrond. We zaten bij het licht van het vuur te drinken, te roken en te praten. Lenny, Gursh en John spraken het meest, Nigel en Morgan rookten het meest en ik zat alleen maar te staren tot iemand opperde dat de kinderen misschien wel lang genoeg sliepen om de cadeautjes voor onder de boom naar beneden te halen. Twee grote plastic vuilniszakken vol met cadeaus werden leeggegooid in een hoek naast de schoorsteenmantel, zo dicht mogelijk onder de zogenaamde boom. Morgan en Nigel zeiden dat ze naar bed gingen, en dat de jonkies het maar niet te laat moesten maken. Ze vonden het heerlijk om de volwassenen uit te hangen.

De thee werd ververst en John vroeg of het goed was als hij ons een aantal van zijn nieuwe gedichten voorlas, waartoe hij zich door Vinny en Arie had laten inspireren. Gursh wilde een douche nemen na zijn lange reis en de opwindende dag, en hij vroeg of John alsjeblieft met voorlezen wilde wachten tot hij terug was.

De tweede keer dat hij zijn opwachting maakte, was bijna net zo indrukwekkend als de eerste. Het lange, donkerbruine haar dat keurig opgerold in een knotje onder zijn tulband had gezeten, hing nu nat rondom zijn schouders en over zijn middel. Hij had zijn ribfluwelen broek en trui verruild voor een zijden hemd en een comfortabele katoenen broek met laag kruis. De andere twee floten en wow-den toen ze zijn lange haar en baard zagen, ik bleef alleen maar zitten kijken.

Mijn hele leven lang was ik opgegroeid met de aanblik van mannen met lang haar, en vaak had ik geholpen het schoon te maken, te wassen en te verzorgen; bij mannen net zo vaak als bij vrouwen.

Eerst de volksliedjes, vervolgens de bekende geuren en nu dit, de aanblik van Gursh in een natuurlijke, ontspannen houding, met los haar en gekleed in zijde; mijn gedachten werden in een stroomversnelling gestuwd, ik zweefde naar een andere tijd en een andere plaats. Met de echo van mijn vaders stem in mijn hoofd; zijn standaardverhaal over de geschiedenis van de sikhs voor zijn vrijdagmiddagleerlingen liet hij altijd beginnen met het belang van haar.

12
Alles over sikhs

Kes is het sikhse woord voor haar, en het is een van de vijf k's, vijf symbolen die erop duiden dat iemand een Khalsa sikh is. Trots gebarend naar zijn eigen witte tulband en zijn lange, goed verzorgde baard, leunde mijn vader dan naar voren en met zijn vinger tegen zijn neusvleugel tikkend en knipogend alsof hij een groots en wonderlijk geheim zou onthullen, ging hij vervolgens snel door met de les vol feiten over de geschiedenis van ons volk.

Ik had dit verhaal honderden keren gehoord en kende praktisch elk detail uit mijn hoofd.

De sikhs komen uit Pundzjaab, dat 'land van vijf rivieren' betekent. Die vijf rivieren zijn de Sutlej, de Beas, de Ravi, de Chenab en de Jhelum en ze stromen tot over de grenzen van Kasjmir, Afghanistan, Pakistan en India.

In dit gedeelte van de wereld wordt water gezien als de bron van alle leven en langs deze rivieren ontstonden tal van steden en beschavingen. Maar er was één gemeenschappelijke taal, het Pundjzabi, die in dit hele gebied gesproken werd. Het boeddhisme, het hindoeïsme en de islam vonden er alledrie veel aanhangers, maar ze waren – op bepaalde oervormen van het hindoeïsme na – buiten deze streek ontstaan. Ook het christendom genoot er een behoorlijke populariteit, terwijl er daarnaast nog een enorme veelheid was van allerlei plaatselijke culten. De vorsten en landheren die over dit gebied heersten, hielden over het algemeen goed rekening met de religieuze diversiteit van de bevolking. Maar hoewel er in de vijftiende eeuw meer dan driehonderd miljoen mensen Pundzjabi spraken en woonden in een streek die Pundjzaab heette, bestond tot die tijd geen echte geschreven vorm van de taal. Nog tot vandaag de dag aan toe wordt het Pundzjabi in landen als Pakistan in het Urdu geschreven.

In 1460 begon Kabir, een arme wever uit Varanasi, een nieuwe spirituele bewustzijnsleer te verkondigen die hij boekstaafde in het Perzische schrift. Hij verklaarde dat alle mensen gelijk waren en dat we allemaal, arm of rijk, hindoe of moslim, samen onder één god moesten proberen te leven.

De bevolking groeide toen al flink, evenals de armoede. Net als in alle andere delen van de wereld waren er natuurlijke altijd gevechten om de macht en kleine oorlogjes, maar in het bewustzijn van dat deel van Azië voltrok zich echt een verandering. Zij die niet op een bepaalde god of religie terug konden vallen, kregen in deze nieuwe roerige tijd de behoefte ergens bij te horen. Elke plaatselijke vorm van geloof had zijn eigen hiërarchie die weer was ingebed in een maatschappelijke ordening, een indeling van de bevolking in kasten, grotendeels bepaald door het beroep.

De Europeanen ontdekten een Nieuwe Wereld: Noord- en Zuid-Amerika, en vele culturen ontstonden op allerlei plekken ter wereld en evenveel andere werden er vernietigd. In Azië was het destijds niet anders. In Pundzjaab begonnen de mensen die zich niet op een bepaalde afkomst of een bekende familie konden beroepen, het woord 'sikh' aan hun naam toe te voegen, afgeleid van het werkwoord 'sikhna' in het Pundzjabi, dat 'leren' betekent. Een sikh is dus iemand die leert. Het betekende ook dat je uit Pundzjaab kwam, en dat je Pundzjabi sprak.

De wijsheden van Kabir de wever en andere 'heiligen' vonden langzamerhand ingang in de streek en in het hele land en men begon vraagtekens te zetten bij de bestaande maatschappelijke structuur en bij de verschillen tussen arm en rijk, tussen hoge en lage kasten. De nieuwe leer dat mannen en vrouwen gelijk waren, en dat wie bezit heeft, dat moet delen met wie dat niet heeft, werd voornamelijk uitgedragen door armen en leden van de lagere kastes. De grondslag van deze nieuwe spirituele ideeën, de gedachte om afgoden niet langer te aanbidden en voortaan één enkele, gedaanteloze god te vereren, werd op vele plekken ter wereld onderzocht en in een streek als Pundzjaab kwam hierdoor bij een groot deel van de bevolking een soort politieke bewustwording op gang. Binnen een paar jaar drong de boodschap van een klasseloze, kasteloze status voor iedereen door tot de wat hoger opgeleiden en intellectuelen, en uiteindelijk ook tot de hogere adel.

In 1469, in een dorp in Pundzjaab, kreeg de vrouw van de hindoeïstische hoofdinspecteur van belastingen een zoon, die Nanak werd genoemd. Beter dan al die anderen, schrijvers die een logischer en eerlijker maatschappij hadden voorgestaan, had dit kind het nieuwe bewustzijn in zich; en zijn hele bestaan zou uiteindelijk in het teken komen te staan van het ontstaan van een nieuw volk dat de zojuist ontdekte opvattingen als de enige juiste manier van leven zou omarmen.

Nanak werd gezien als een uiterst getalenteerd jongmens, maar wel enigszins zweverig. Zijn vader probeerde hem het familiebedrijf in te halen, maar hij was onhandig met geld en geneigd het weg te geven. Hoe harder zijn ouders hem trachtten bij te brengen hoe het leven nu eenmaal in elkaar stak, des te sterker de indruk bij Nanak dat dit niet de juiste manier kon zijn. Hij stelde vragen bij armoede en bij de strijd van de zwakkeren, hij stelde vragen bij welvaart en macht, maar de allergrootste vragen stelde hij wel bij de scheidslijn tussen mannen en vrouwen, tussen hindoes en moslims, tussen god en geloof.

Dit kwam de familie duur te staan, maar toch viel niet te ontkennen dat hij bekendheid verwierf vanwege zijn optreden en zijn inzichten. Hij was niet agressief of strijdbaar, maar hij liet gewoon ontzettend duidelijk horen wat hij vond dat goed of fout was. In een poging hem in het gareel te krijgen, werd er een huwelijk voor hem gearrangeerd, en getrouw vervulde hij voor zijn twee kinderen de rol van vader. De verantwoordelijkheden van het gezinsleven veranderden zijn manier van leven echter niet, en in 1499 ging hij op reis naar plekken als Tibet, Sri Lanka en Mekka. Na zijn reizen, die in de sikhse cultuur bekendstaan als *udasis*, vestigde hij zich in 1521 aan de oever van de rivier de Ravi om daar een kleine gemeenschap te stichten, waar hij de ervaringen opgedaan tijdens zijn zwerftochten verbond met de inzichten die zijn immer vragende natuur hem had verschaft. Zijn kennis gebruikte hij om nieuwe geschriften in dichtvorm te maken, en hij wisselde regelmatig van gedachten met de mensen in zijn omgeving, waarmee hij de eerste als zodanig erkende gemeenschap van sikhs vormde. Het was nog geen grote groep, in feite niet meer dan een paar dozijn mensen, maar hun boodschap was vrij eenvoudig: leef in het zweet uws aanschijns, neem naar believen en vermogen, zolang geen van uw naasten gebrek lijdt.

Het gebed was niet gericht tot een bepaalde god of een bepaald voorwerp, het was eerder een meditatie en bezinning op de eigen daden, en het belangrijkste van alles was dat er geen onderscheid zou worden gemaakt naar klassen of kaste. Dit alles gebeurde in een tijd dat de Mughal-keizers het gebied aan het opdelen waren in koninkrijkjes, en in het begin, in de tijd van Nanak, predikten de sikhs alleen nog maar vrede en liefde; ze werden gezien als zomaar een groepje new age-hippies. Natuurlijk groeide de gemeenschap snel, het was een hele aantrekkelijke levensstijl als je arm was of onderaan stond in het bestaande kastensysteem. En deze eerste sikh-gemeenschap deed nog iets anders van groot belang: zij gaven het Pundzjabi een eigen geschreven vorm, die ze Gurmukhi noemden, wat letterlijk 'uit de mond van god' betekent.

De geschreven vorm kende vijfendertig letters en een paar accenten en betekende een grote stimulans voor de alfabetisering van de hele streek, het was de taal die de mensen al spraken. In de tweehonderd jaar die volgden maakte de eens zo bescheiden, vredelievende gemeenschap van zoekenden een ontwikkeling door aan de hand van de filosofieën van maar liefst negen leiders, die allemaal de titel 'goeroe' kregen, en zo groeide de gemeenschap uit tot een machtige groep gelovigen.

Tegen de tijd van de tiende goeroe, Gobind Rai, had de heerschappij van de Mughals het feodale India in stukken uiteengescheurd, terwijl de invloed van de sikhs enorm was toegenomen. Door hun eenvoudige levenswijze en hun openhartigheid begonnen ze de Moghul-heersers te irriteren en de verdreven edelen van de streek begonnen steun te zoeken bij dit volk van rechtvaardigen.

Gedurende de vele oorlogen was een aantal goeroes van de sikhs terechtgesteld en ten tijde van Gobind Rai was de filosofie bijna uitgekristalliseerd. Simpelweg vanwege de opvattingen die ze aanhingen, werden de sikhs aangemoedigd zich tegen hun heren en heersers te verzetten. Nieuwe belastingwetten maakten de dagelijkse strijd om het bestaan van het dorpsleven nog zwaarder. Vergeet niet dat we het hebben over een gebied waar heel Groot-Brittannië een paar keer in past, en over een tijd die honderden jaren geleden is.

De mensen waren arm en leefden voor het grootste deel van het land of andere natuurlijke hulpbronnen. De meesten konden lezen noch schrijven en oorlogen en natuurrampen waren een aanslag op hun bestaan, nog afgezien van hongersnoden en ziektes. Eenieder die meer dan een paar veldjes te ploegen had en in het bezit was van een paard, kon zich een rijk man noemen en de corruptie en hoge belasting op het land, maakten de situatie nog erger.

Naarmate de sikh-gemeenschap groeide in omvang, begonnen de Mughal-keizers te merken dat hun heerschappij werd ondermijnd door het bestaan van deze bizarre groep mensen. Veel van de opstanden en opstandjes tegen hun gezag stonden onder leiding van de sikhs of waren op hun leer geïnspireerd. Natuurlijk lieten de Mughals er zo nu en dan een paar arresteren, maar ook de executies bleken slechts olie op het vuur. Toen zijn zonen in deze strijd waren omgekomen, besloot Gobind Rai het karakter van de religie van de sikhs voor eens en voor altijd te veranderen. Zijn vastberadenheid was ontstaan toen zijn eigen vader ter dood werd gebracht, en nu hij zijn kinderen was kwijtgeraakt, begon hij een strijdbaarder geloof aan zijn volgelingen te prediken; in het begin alleen als zelfverdediging bedoeld, en uiteindelijk gericht op de aanval.

In 1699 richtte hij de Khalsa-sikhs op. Elke man die zich bij de sikhs wilde aansluiten dwong hij de naam Singh op, elke vrouw de naam Kaur. Door openlijk en vol trots vaste kledingvoorschriften te volgen, moest iedereen duidelijk als sikh te herkennen zijn. Daar komen de vijf k's vandaan: kachh staat voor 'katoenen broek', kangha voor 'kam', de kara, 'stalen armband', wordt gedragen om de rechterpols, kirpan betekent 'zwaard' betekent en dan tot slot natuurlijk kes, het haar, dat onder een tulband moest worden gedragen en nooit mocht worden geknipt.

Zijn laatste – en invloedrijkste – daad was zijn voorspelling dat er na hem geen goeroe's meer zouden volgen, het richtsnoer voor de gemeenschap zou de 'Adi Granth' worden, een verzameling geschriften die in 1604 door de vijfde goeroe, Arjan, was voltooid en die in het Gurmukhi waren geschreven.

Gobind Rai was een intelligent man, die inzag dat een gemeenschap door het vermoorden van de leiders kon worden gebroken, terwijl een boek niet om het leven kan worden gebracht. Hoe het ook zij, toen de laatste goeroe Gobind Singh overleed, kwam er een eind aan de opeenvolging van mannen die de fundamenten van het geloof hadden gelegd, en zij lieten een eerzaam volk achter met een eigen taal, een eigen wijze van kleden en een eigen politieke en sociale structuur – én een goed boek als leidraad.

Dit was mijn vaders versie van het verhaal, maar niet alle sikhs volgden de nieuwe, strijdbare lijn en tot vandaag de dag bestaan er twee soorten sikhs. Zij die de Khalsa volgen en zij die de oorspronkelijke boodschap van vrede en liefde aanhouden, die door de eerste goeroe Nanak was verkondigd.

Gursh en ik vertegenwoordigden ieder een kant van de geschiedenis.

Mijn vader was een liberale, vredelievende volgeling van Nanak, wat we een puriteinse sikh noemen. De strijd van de oorspronkelijke sikhs tegen de kastenstructuur was een ideaal dat hij altijd bleef aanhangen. De achterliggende gedachte was dat iedereen een 'granthi' kon zijn, wat in Pundzjabi zoiets als 'priester' betekent.

Een granthi is iemand die de gurdwara bewaakt, de tempel of gebedsplek, en hij verzorgt de schriftlezingen voor trouwerijen, ceremonies, enzovoort enzovoort. De granthi hoort ook met behulp van geschriften Gurmukhi-les te geven aan de kinderen, en hij voorziet de sangat (gemeenschap) van advies bij het interpreteren van de geschriften en hun verband met de wet. In feite kan iedereen granthi worden, maar door de eeuwen heen is deze positie steeds binnen families overgegaan van vader op zoon. Daardoor is er niet echt een priesterkaste, maar er zijn wel een paar achternamen die constant met die functie in verband worden gebracht. Zo nu en dan duiken er nieuwe lijnen op, maar over het algemeen zijn er een paar vaste, gevestigde namen.

Mijn vaders vader was een granthi, evenals zijn vader daarvoor. Impliciet inbegrepen bij de functie zit de notie dat geschillen tussen de leden van de gemeenschap in de gurdwara kunnen worden voorgelegd, en als de sangat deze niet met een gesprek kan oplossen, moet de granthi zijn rechtmatige interpretatie van het geschil naar voren brengen, aan de hand van de geschriften van de goeroe Granth Sahib, het heilige boek. Het is een vooraanstaande functie waar van alles bij komt kijken, van de zorg dat de gebedsruimte geschikt is als bewaarplaats voor de heilige schrift en de voorschriften van de goeroes, tot en met een soort rechterlijke functie bij echtscheidingen, familievetes en zakelijke problemen.

Het geloof regelt voor zijn volgelingen alle wetten, lichaam, geest en ziel, evenals alle politieke, sociale en zakelijke facetten van het leven, en de priesters hebben een allesoverheersende rol.

Dit was de raditie waarin ik werd geboren.

Gursh stamde af van de modernere hoofdstroming van Khalsa sikhs, en zelfs daar was het kastensysteem niet volledig weggevaagd. In iedere gemeenschap zullen er altijd wel mensen zijn die meer geld hebben dan anderen, en met de sikhs is het niet anders. Zijn familie stamde van landeigenaren en kooplui af, en bekommerde zich weinig om de rituelen en het geloof. Het waren reizende en handelende pioniers, en ze brachten hun levensstijl tot ver over de grenzen van vele nieuwe landen en volkeren; niet vanwege het geloof, maar om puur economische redenen.

13
Picknick aan zee

Toen we die kerstavond in het kaarslicht om het vuur zaten te luisteren naar John die de gedichten voorlas waartoe hij door mijn kinderen zei te zijn geïnspireerd, voelde ik me ver verwijderd van het geloof waar ik van afstamde en ver verwijderd van iedereen om me heen. Was ik een sikh of was ik een individu, en wat maakte dat dan uiteindelijk voor verschil?

Als bij toverslag kreeg ik antwoord op mijn vraag.

Toen John net de laatste regels voordroeg van een aan hen gewijde ode, staken de kinderen hun hoofd om de deur van de woonkamer met een slaperige maar ondeugende lach op hun gezicht. Ze verklaarden dat ze de kerstman op het dak hadden gehoord, en hun vermoeden werd natuurlijk bevestigd toen ze hun ogen over de stapel met cadeautjes lieten gaan; verheugd dartelden ze de kamer in.

Smoezen gingen niet meer op en na een paar leugentjes om bestwil dat ze hem net gemist hadden toen hij de pakjes kwam brengen, werd besloten dat ze er allebei eentje open mochten maken, en de rest de volgende ochtend na het ontbijt. Om stiekeme plunderingen van de bestaande stapel te voorkomen, hielp ik ze allebei een pakje open te maken en het leek me het beste om de rest van de nacht bij hen in de kamer te slapen.

We wensten iedereen goedenacht en gingen samen naar boven.

Na wat gedoe en beloftes van mijn kant dat ze de volgende dag alles mochten waar ze me maar toe konden overhalen, vielen de kinderen helemaal in elkaar gedoken onder de dekens in mijn armen in slaap, en voor het eerst sinds lange tijd had ik een vredig en behaaglijk gevoel. Hun kleine armpjes en beentjes om de mijne heen geslagen, het geluid van hun adem spoelde via mijn lichaam mijn bewustzijn in, als lucht in de longen van een drenkeling. Ze zeggen wel eens dat je hele leven aan je voorbijgaat als je een verdrinkingsdood sterft, en op dit moment trok mijn vaders standaardverhaal over de geschiedenis van de sikhs aan mij voorbij, de data, de oorlogen en de wonderen. Ik voelde het vocht van mijn tranen door mijn haren het kussen op lopen en ik trok de kinderen dichter naar me toe. De clou van mijn vaders kleine redevoering was altijd dezelfde: het ware godsvertrouwen geeft een mens hoop, iets om in te geloven. Op onze eigen aparte manier geloofden Vinny en Arie in mij en omgekeerd, ik geloofde volkomen in hen, we gaven elkaar hoop. Terwijl ik wegdoezelde, kon ik nog horen hoe de anderen hun bed opzochten, maar daar beneden was het een andere wereld, mijn hele wereld bestond uit dit ene kleine bed vol hernieuwd geloof, hoop en vertrouwen. Tot onze grote verbazing werden we de volgende morgen allemaal laat wakker, en het ontbijt kwam pas tegen lunchtijd op tafel, tegelijk met de cadeautjes.

In de cadeaustapel van de kinderen zaten allerlei soorten mooie, nuttige en rare dingen. Kleren, speelgoed en een paar dingen die ik niet zo goed begreep. Schrijf- en schilderspullen, dat snapte ik wel, de kinderen kregen altijd pennen en papier, viltstiften en lijm en zo, maar er zat een rare doos van Sarah tussen met een wonderlijk soort machine voor de kinderen. Lenny vertelde dat het een computer was en er zat een briefje van Sarah in de doos dat zij hem klaar zou maken voor gebruik als ze terugkwam. De kinderen en ikzelf zaten ietwat verstomd te kijken van wat die machine allemaal kon; zij omdat ze klein waren en ik gewoon omdat ik er nog nooit een had gezien.

De computer werd weer in de doos gestopt en opzijgezet voor een ander moment, de meeste andere cadeaus waren wat makkelijker te bevatten en de kinderen waren de rest van de dag bezig de buit naar hun kamer te slepen om ermee te spelen. We maakten een alternatief kerstdiner met brood van gepofte kastanjes, omdat alle aanwezigen vegetarisch waren behalve één, ons buitenbeentje Nigel, maar hij zei ons onze hippiemanieren te vergeven. Na de hoofdfilm van die dag op de zondekist, een musical getiteld *Oliver*, werd het eten opgediend. Aan tafel spraken we over de redenen om niet naar de kersttoespraak van de koningin te kijken. Toen de kinderen genoeg hadden van het rondschuiven met het eten dat ze niet meer op konden, kregen ze Morgan zover dat zij naar hun kamer meeging om te spelen. Dit leek haar een mooie gelegenheid om hen misschien nog even over te halen tot een middagslaapje, zodat ze zelf nog een oogje dicht kon doen. Ze was moe van het machtige eten en de opwinding.

John, die nog steeds in zijn rare schoonmaakbui was, ruimde samen met Lenny en mij de feesttafel af, terwijl Nigel en Gursh als mannen onder elkaar de finesses van het sikhse geloof doornamen.

Meer dan flarden van het gesprek ving ik niet op, maar toen de afwas was gedaan en de koffie klaarstond, was er een hevige discussie gaande. Nigel was van mening dat het geloof een fantastische, perfecte manier van leven vormde, en Gursh bracht daar tegenin dat het voor hem als buitenstaander dan misschien mooi leek omdat hij niet mee hoefde te gaan in de traditionele aspecten van de levenswijze, zoals het gedwongen huwelijk.

Hier mengde Lenny zich in de discussie door de hele

zaak in een ander licht te zetten, dat van de tijd. Aan de hand van de film die we net op de zondekist hadden gezien, Oliver, maakte ze ons duidelijk dat het huwelijk zelfs in de ontwikkelde Westerse wereld werd bepaald door traditie en klassestrijd. Vervolgens zette ze uiteen dat vrijheid van meningsuiting en mensenrechten ook hier pas sinds de laatste tientallen jaren aan bod kwamen, en dat daar een tijdperk van enorme verandering aan vooraf was gegaan, zoals de wereldoorlogen, de industriële revolutie en het ontstaan van politieke en sociale systemen als het kapitalisme en het socialisme. Het recht om te zeggen en te doen wat je wilt, was kennelijk niet meer dan een trend voor een kleine groep bevoorrechten, die niet als standaard voor de hele wereld moest worden beschouwd.

Hoewel ik de woorden begreep die ze gebruikten, snapte ik niet wat er werd gezegd. Ik begon er net spijt van te krijgen dat ik niet met Morgan en de kinderen een slaapje was gaan doen, toen John de dichter het debat weer tot normale proporties terugbracht. Hij vroeg Gursh waarom hij uit het sikhse milieu was gevlucht, waarop Gursh het verhaal herhaalde dat hij niet wilde trouwen met degene die zijn ouders voor hem hadden uitgekozen, maar John liet het er niet bij zitten. Hij bleef maar aandringen om meer van Gursh te weten te komen, of zijn ouders ooit met geweld hadden gedreigd, bijvoorbeeld, of ze ooit onaardig tegen hem waren geweest, of ze niet van hem hielden of hem niet gaven wat hij nodig had, eten of kleren bijvoorbeeld, of dat hij zijn opleiding niet zelf had mogen kiezen.

Vraag me niet waarom, maar deze vragen weerkaatsten in mijn hoofd, mijn antwoord was steeds heel anders dan dat van Gursh. Voorzover ik wist had hij als mannelijke sikh meer ruimte gekregen dan ik als vrouw, maar vergeleken met de gemiddelde Westerse man van de gastcultuur waar we allemaal in leefden, was hij absoluut niet vrij.

Door de status van zijn kaste had hij zelfs meer macht gehad dan ik ooit had durven dromen. Hij had een foto van zijn toekomstige bruid gezien, hij had zelfs in eerste instantie een hele verzameling foto's van vrouwen te zien gekregen waar hij uit kon kiezen. Voor mij was dit nieuw, in mijn wereld had niemand die ik kende foto's te zien gekregen, je kreeg gewoon te horen dat je nu aan iemand anders en zijn familie was beloofd.

Naarmate Gursh met zijn levensverhaal vorderde en ik het met het mijne vergeleek, kreeg ik klap na klap in mijn gezicht. Woede begon zich in me op te kroppen, en toen Gursh terloops liet vallen dat de jonge vrouw die zijn familie hem had voorgesteld eigenlijk best knap was, maar gewoon niet zijn type, barstte ik uit in gillende razernij. Zoals bij dit soort uitbarstingen gebruikelijk begon te worden, had ik naderhand nauwelijks een idee van wat ik allemaal had uitgekraamd. Wel herinner ik nog de frustratie en de tranen en toen opeens Lenny die me vasthield en Nigel die me over mijn hoofd streek.

Na veel koppen thee en wat slaap, kwam ik weer naar beneden om iedereen in de woonkamer aan te treffen, kijkend naar de zondekist. John had de kinderen mee naar buiten genomen voor een wandeling en wat frisse lucht en Nigel en Morgan boden aan om hen in bad en naar bed te doen, omdat het inmiddels al laat op de avond was. Op hun eigen kleine manier voelden Vinny en Arie aan dat ik verward was en ze kwamen naar me toe om me een knuffel en een nachtzoen vol hoop en vertrouwen te geven.

Ik moest hen beloven dat ik net als de vorige nacht bij hen op de kamer zou slapen en toen ze gehoorzaam met Morgan mee naar boven gingen, gaven ze me hun lievelingsspeelgoed als troost. Lenny kwam naast me zitten, Nigel en John gingen iets te eten en te drinken maken, en Gursh legde een kussen naast mijn stoel en begon een gesprek. Hij verontschuldigde zich en vroeg of ik hem aan wilde kijken. Toen onze ogen elkaar ontmoetten, legde hij zijn hand op mijn wang en zei dat hij mijn woede begreep. Zijn stem klonk vriendelijk en helder, en toen hij mij zijn verhaal vertelde, was het alsof mijn hersenen zijn woorden op een nieuwe manier konden verwerken. Ik was alleen maar in staat geweest om als vrouw te denken, de enige manier die ik kende omdat ik nu eenmaal een vrouw ben.

Elke dag van mijn leven had ik te horen gekregen dat ik niet moest proberen de manlijke soort te begrijpen omdat dat onmogelijk zou zijn. Vrouwen begrepen mannen niet en mannen begrepen vrouwen niet; zo stak de wereld in elkaar. Mijn wereld, de sikhse wereld, elke wereld. Ik was opgegroeid met mannen, sprak, at en leefde met hen samen, maar over het algemeen bracht ik mijn tijd met de andere vrouwen door. Bepaalde plekken in huis, in de kerk, plekken om te zitten, te staan of te verblijven, waren voor de seksen in tweeën gedeeld. Alleen zij die heel jong of heel oud waren, hoefden zich niet aan deze regels te houden, maar praktisch iedereen om me heen deed dat wel. Wat er nu tussen Gursh en mij plaatsvond, was hoogstwaarschijnlijk binnen mijn eigen milieu nooit gebeurd, en daarom was het voor mij heel onwerkelijk allemaal.

Gursh zei me hoezeer hij me bewonderde, want net zoals ik wist uit welk deel van de sikhse wereld hij afkomstig was, wist hij ook waar ik vandaan kwam.

Hij besefte hoeveel meer reden hij had om dankbaar te zijn, want als man had hij niet alleen een sterkere positie, maar ook was hij niet afkomstig uit de meer fundamentalistische regionen van het geloof, zoals ik. Hij kende de uitersten van onze cultuur en bekende me dat er afgezien van vele kleine verschillen, ook een paar weerzinwekkende overeenkomsten waren. Aan het eind van zijn verhaal over hoe hij, toen hij wat ouder werd, vanwege zijn onbeheersbaar vrouwelijke aard door de oudere mannen seksueel was misbruikt en vernederd, moest hij duidelijk hard tegen zijn tranen vechten.

Zijn hele bestaan binnen de sikhse cultuur was in strijd geweest met zijn lichaam en geest, tot hij zich op een dag realiseerde dat zijn omgeving hem nooit zou accepteren zoals hij was: homo. Bevend begon hij te huilen en hortend vertelde hij hoe hij in verwarring werd gebracht toen hij door de grotere jongens was verkracht, en later de neiging voelde om zijn lichaam te geven aan degenen die hij leuk vond. Voor hem bestonden er geen vaste of gevestigde regels, en zelfs de Westerse buitenwereld bood geen oplossing voor zijn problemen.

Ik was niet in staat mijn oren te geloven en kon zijn tranen niet stelpen. Lenny was net zo verbijsterd als ik en met zijn drieën kropen we ineen. Tegen de tijd dat Nigel en John met het avondeten kwamen, zaten we uitgehuild en wel op de bank. Morgan kwam weer naar beneden en ze zei dat de kinderen veilig ingestopt in bed lagen, en vervolgens kondigden zij en Nigel aan dat ze een bijzonder geschenk voor me hadden.

Het geschenk zat verpakt in een A4-envelop, het was een businessplan. Na het vreselijk emotionele tafereel dat zich daarvoor had voltrokken, had ik de grootste moeite te volgen wat er stond te gebeuren, maar het kwam erop neer dat Nigel en Morgan de leaserechten op het café en de keuken van The Folkhouse hadden gekocht, om die tot bloei te brengen. Het hield in dat ze met de keuken een cateringservice op konden zetten, en daarnaast het eten en drinken voor de gasten konden verzorgen die voor lessen en cursussen het gebouw aandeden.

Nigel had genoeg geld om de keuken en het café op te knappen en te onderhouden. Morgan zou de contracten, bestellingen en leveringen coördineren. Ze zochten nog een team van medewerkers om het café te runnen en te koken en een manager voor dat team, mij. Natuurlijk wisten ze wel dat ik er nog even over na wilde denken, maar als ik wilde; het aanbod lag er. De rest van de avond keken we naar de zondekist en toen iedereen aanstalten maakte om naar bed te gaan, vroeg Lenny of ik nog even bij haar op de kamer langskwam.

Gursh knipoogde naar me, hij boog en kuste mij op mijn voorhoofd bij wijze van afscheid. Nog even bleef ik zitten in het schijnsel van het vuur om de dag voor mezelf te overdenken, en vervolgens ging ik naar Lenny. Het bleek dat ze me advies wilde geven. Ze herinnerde me aan haar geschiedenis vol psychiatrische instellingen en medicijnkuren en ze drong erop aan dat ik mijn gevoelens onder controle moest proberen te houden en moest leren me op harde gegevens in de toekomst te richten in plaats van op frustraties uit het verleden. Voor haarzelf lag het anders, wist ze, want zij hoefde alleen maar op zichzelf te passen, maar ik had kinderen, en als ik aan mijn uitbarstingen toegaf en mijn zelfbeheersing verloor, zou ik precies datgene verliezen dat mij het meest dierbaar was: mijn kinderen.

Ze had een geheel eigen wijsheid en ik zag wel dat ze het meende. Ik merkte dat ik even naar haar zat te kijken omdat er iets aan haar veranderd was, tot ik ontdekte dat ze voor het slapengaan haar make-up had verwijderd en met een borstel haar met gel gefixeerde haar weer in natuurlijke staat had gebracht. Natuurlijk kon je nog steeds zien dat haar schedel aan de zijkanten geschoren was, maar nu alle pinnen en spelden uit haar wenkbrauwen, neus, lip en oren waren verwijderd, zag ze er bloot en kwetsbaar uit. Daarna vertelde ze me over de laatste keer dat ze haar broer had gezien en hoe verschrikkelijk het was geweest om te weten dat ze hem nooit meer terug zou kunnen zien. Eerst dacht ik dat het kwam doordat hij in een of andere zorginstelling zat, totdat ze me uitlegde dat ze niet elke nacht haar metalen sieraden uitdeed. De volgende dag was het tweede kerstdag, en ze zou naar Western-Super-Mare gaan, daar lag hij begraven. Op tweede kerstdag zes jaar geleden had hij zelfmoord gepleegd en ze vroeg of ik met haar mee wilde gaan. Na het bezoek op de begraafplaats zouden we op het strand gaan picknicken.

De volgende morgen aan het ontbijt boden Nigel en Morgan aan om op de kinderen passen. John en Gursh gingen graag met ons mee.

Het weer was helder en zonnig. Op het graf stond klein beeldje van een engel: behoorlijk verweerd, maar best lief en bescheiden, een klein wezentje op een eenvoudige stenen sokkel met de woorden 'Rust in vrede' erin gebeiteld.

Lenny snikte en schuifelde wat met haar voeten, en boog toen plotseling voor het graf omlaag en snikte voluit met haar handen voor haar gezicht. John troostte haar, maar voor mij en Gursh was het idee dat mensen in de grond werden begraven, en dat hun graven dan ook nog eens werden bezocht en toegesproken, gewoonweg uiterst bizar. De meeste Aziaten worden gecremeerd.

Even hing er een soort doffe stilte, ook al waren we buiten en was het nog licht. De geluiden van de wakkere wereld, zoals vogels en verkeer en zelfs het snikken van Lenny leken ver weg.

Lenny vroeg of we haar even bij het graf alleen wilden laten, en opgelucht als we waren vluchtten Gursh en ik zowat naar de hekken van de begraafplaats toe. John wilde bij de hekken wachten waar hij Lenny nog kon zien voor het geval ze ons nodig had, maar hij merkte dat Gursh en ik behoefte hadden aan meer afstand; hij zei ons dat we maar bij de auto moesten wachten.

Wat een ongelofelijke misser was dat.

Western-Super-Mare ligt aan zee, maar de begraafplaats

was vrij ver van het strand. Toeristen vertoonden zich hier niet snel.

De avond begon al te vallen, en van ons plan om bij ondergaande zon aan het strand te picknicken, leek niet veel meer terecht te komen. Bij de parkeerplaats aan het einde van de oprijlaan was een klein stukje bos met een vismeertje en een speeltuintje.

De planologen hadden hun best gedaan – vermoedelijk met verliefde stelletjes en moeders met kinderen in gedachten. Maar dit goed verscholen plekje bleek ook een ander soort lieden aan te trekken.

Bij de auto stond een groepje jongeren. Een van hen vroeg om een vuurtje.

Ik maakte de achterdeur van de auto open en reikte naar binnen om mijn tas te pakken. Opeens kreeg ik een enorme duw.

Terwijl de jongen zijn volle lichaamsgewicht gebruikte om mijn lichaam dwars over de achterbank van de auto te klemmen, hoorde ik schreeuwen en het geluid van dingen die op de auto neerknalden. Met zijn vingers graaide hij in mijn haar en fel rukte hij mijn hoofd achterover om mijn gezicht vervolgens met veel kracht in de zachte kussens te rossen. Ik kreeg geen lucht en het voelde alsof mijn ribbenkast helemaal plat werd gedrukt. Opeens werd ik samen met de jongen, die zich nog steeds aan me vastklemde, uit de auto gesleurd.

Nu werd Gursh gesandwiched tussen deur en auto. Twee van hen duwden tegen de deur, terwijl een derde vanaf het dak van de auto Gursh' hoofd bij zijn haren omhoog en naar achteren trok, zijn tulband, die inmiddels meedogenloos uit elkaar werd gerold door degene die mij uit de auto had gesleurd, hadden ze van zijn hoofd getrokken.

Zes van het manlijke en één van het vrouwelijke geslacht, geen van hen ouder dan achttien of negentien jaar.

Verveeld, laagopgeleid en waarschijnlijk werkloos; ze waren ergens woedend over en gezien de manier waarop ze tegen ons krijsten en tierden, leek het erop dat wij de volle laag zouden krijgen.

Hun kreten klonken bijna kannibalistisch.

Ging de kleur eraf als je bleekmiddel gebruikte?

Wilden we net een lekker wipje gaan maken?

Natuurlijk had ik het allemaal wel eerder gehoord, maar niet in zo'n extreme situatie. Ze werden steeds razender, en de scheldpartijen maakten een einde aan de andere vormen van geweld.

Nadat ze zijn hoofd en neus boven het portier verrot hadden geslagen, werd Gursh een gore zwarte hond genoemd. Nadat ze mij m'n jas en blouse van het lijf hadden gescheurd, kreeg ik de titel van smerige stoephoer. Ik weet niet meer precies wat er verder gebeurde, maar een visser op weg naar huis of naar het meer verscheen toevallig op het toneel en kwam schreeuwend en dreigend op het groepje af, zwaaiend met een stok of een tak.

Ik weet zeker dat de jongeren hem te lijf waren gegaan als John en Lenny niet op hetzelfde moment aan de andere kant waren opgedoken.

Het eindigde zoals het begonnen was, in een flits was het voorbij. Ik heb nooit helemaal kunnen reconstrueren waarom het gebeurde, en misschien waren we ook wel gewoon op het verkeerde moment op de verkeerde plek, maar dat het zomaar kon gebeuren, achtervolgt me nog steeds. Nog dagen later had ik nachtmerries. Gursh' ribben en kaak waren gebroken en een deel van zijn haar hadden ze met wortel en al uitgetrokken. Ik had een gebroken neus en wat kleinere wonden en blauwe plekken. De visser had ons het dichtstbijzijnde ziekenhuis gewezen en aangifte gedaan. Het was na middernacht toen we thuiskwamen en de kinderen lagen veilig ingestopt in bed. Nigel bood aan ernaartoe te rijden met een paar jongens van de motorclub. Hij begreep ook wel dat dat niet het meest noodzakelijke was.

14
Een klein flesje rode vloeistof

Geen van ons zat te wachten op nog meer geweld, maar iedereen voelde wel de behoefte om iets te doen. We besloten een feest te geven, een feest voor de overlevenden, op oudejaarsavond in The Folkhouse.

Lenny zei dat ze waarschijnlijk goedkope arbeidskrachten voor de catering kon vinden als we de mensen ook op zouden leiden. Dit hield in dat het bureau waar zij werkte een overheidsbeurs voor ondernemers zou regelen, zodat de jeugdhulpverlening de mensen die in het café werkten zou subsidiëren.

Ik kon me niet zo goed voorstellen wat we die jongeren zouden kunnen leren, totdat Gursh me vertelde dat deze programma's bedoeld waren voor mensen zoals degenen die ons hadden afgetuigd.

In eerste instantie liepen de rillingen over mijn rug.

Maar ik begreep wel dat het bedrijf van Nigel en Morgan er veel baat bij kon hebben. En die jongeren kregen na tuchthuis of toezicht een nieuwe kans.

Kon het simpeler?

Het klonk schitterend en ik vroeg me af waarom het ooit moeite had gekost om dit soort programma's van de grond te krijgen.

Natuurlijk had het weer iets met de overheid te maken en op dat punt raakte ik de draad van het gesprek kwijt omdat de anderen in de kamer begonnen te discussiëren over de kracht van het kapitalisme en alweer die vrouw die ze Thatcher noemden.

Ik wist dat ik geen enkele kans maakte als ik de rest van het gesprek probeerde te volgen, want ik had al zo vaak geprobeerd dit soort gesprekken te volgen.

Vaak raakten alle huisgenoten bij de discussie betrokken en onafhankelijk van wie wat zei, was er altijd wel iemand die het niet eens was met het ingenomen standpunt, wat het ook was. Ze zeiden dat ze geen ruzie maakten, maar de krachtigste zielsovertuigingen vlogen altijd weer door de kamer en soms raakte de discussie zo verhit, dat mensen de kamer uitstoven of elkaar voor de raarste dingen uitmaakten. Ik weet dat de woorden die ze riepen niet grof waren, maar ze klonken wel als een belediging. Van die dingen als rechtse bal, salonsocialist, anarchist, seksistisch zwijn.

Op dit soort momenten dacht ik altijd aan Jannie en haar vriendelijke voorspelling dat ik in de loop der tijd steeds meer leren zou. Mijn, lichaam, geest en ziel waren door een rare mangel gehaald en het voelde als een wonder dat ik nog overeind stond. Toen ik naar bed ging, keek ik nog even of alles goed was met de kinderen en alweer voelde ik die ontroering waar ik nooit genoeg van kon krijgen toen ik hen daar zag liggen, veilig tegen elkaar aan, opgerold onder de dekens. Er was niets dat zo klonk als hun kleine zachte gesnurk en hun regelmatige ademhaling, muziek voor mij, een engeltjessymfonie. Mijn gedachten dwaalden af naar Lenny's broer die diep onder de grond lag op die gruwelijke plek waar we waren geweest. Die arme Lenny was er helemaal verslagen van, en voor haar voelde het alsof het allemaal haar schuld was.

In alle consternatie had ze niet eens de tijd gehad om het bezoek aan haar broer te overdenken, en ik voelde me heel erg bedroefd om haar, om haar broer, omdat we in elkaar geslagen waren, om alles bij elkaar.

Die nacht droomde ik over de bommenmaker, maar een nachtmerrie was het niet.

Lange tijd was deze man een bron van angst in mijn leven geweest, en totnogtoe kon ik me alleen maar herinneren hoeveel pijn hij mij had gedaan.

Maar in mijn droom die nacht kwamen we elkaar in een tuin tegen en in de zon liep hij met me over een prachtig pad helemaal vol bloemen naar een klein huisje waarvandaan de kinderen op ons af kwamen stuiven om ons met knuffels en zoenen te begroeten.

Het was een mooie droom van een volmaakt leven en hij glimlachte en hield mijn hand vast, terwijl we samen naar de zonsondergang keken.

In dit soort dromen zit je er zelf nooit helemaal in, maar je kijkt van boven toe wat je allemaal doet. Het had iets van zo'n felgekleurde Bollywoodmovie, en terwijl de zon steeds verder zakte, werd de achtergrondmuziek steeds harder en de bommenmaker wendde zich tot de vrouw die naast hem stond en plotseling was ik het niet meer, maar zij, zijn nieuwe vrouw, die andere die hem wel zoons kon schenken.

Toen ik de volgende dag wakker werd, voelden mijn blauwe plekken stijf en pijnlijk en had ik een loodzwaar gemoed, maar waarom kon ik niet zo goed bedenken. Het was toch goed als mijn man opnieuw trouwde? Ik denk dat het gewoon onmogelijk is om meer dan drie jaar met iemand samen te wonen en te slapen en nog steeds niets voor hem te voelen, we hadden twee kinderen gekregen. Ik weet dat het raar klinkt, maar in het begin hadden we ook goede momenten gekend en hoewel ik wist dat ik niet van hem hield, was ik me er ook van bewust dat ik niet echt wist wat liefde was. Vóór mijn vruchtbaarheidsproblemen was ons leven samen oké.

Geen van ons tweeën wist hoe het leven anders kon zijn en iedereen in onze omgeving was uitgehuwelijkt en leefde op dezelfde manier, dus tot dat moment was ons leven vrij normaal geweest. Hij was erbij toen ik van de kinderen beviel, en door zijn leeftijdsgenoten werd hij misschien wel als iets te modern beschouwd, omdat hij ook met mij meeging naar de afspraken met de verloskundige. Het feit dat hij getuige was geweest van de geboorte van zijn eigen kinderen, maakte hem in manlijke sikhse ogen tot een nogal bijzonder soort held, dapper en stoer. De meeste oude vrouwen vonden het een beetje te vooruitstrevend, en voorspelden dat er kwade dingen stonden te gebeuren als we ons niet aan de natuurlijke scheiding tussen de seksen zouden houden.

Mannen hoorden geen interesse te tonen in zaken als zwangerschap en geboorte, en wee ons gebeente als we niet oppasten.

Misschien hadden ze gelijk, misschien waren we wel normaal gebleven als we ons gehouden hadden aan de veelbeproefde levenswijze van onze soort. Maar ik denk dat ons huwelijk van het begin af aan gedoemd was te mislukken, omdat hij zich toen al schuldig voelde omdat ik met iemand van een lagere klasse moest trouwen.

Hij kwam uit een enorm groot gezin, hij had achttien broers en zussen, negen van elk. Toen ik zijn moeder voor het eerst zag, kon ik niet geloven dat al die mensen uit zo'n klein vrouwtje waren gekomen. Mijn man was een van haar jongsten, de één na laatste, zodat de meeste broers en zussen al getrouwd waren en kinderen hadden toen ik deel werd van de familie. Ze leken helemaal niets te begrijpen van de beginselen van geboortebeperking en de familie was met schrikbarende aantallen gegroeid. Bij de laatste telling waren er drieënvijftig kleinkinderen en twaalf achterkleinkinderen, en er zaten er nog meer aan te komen. In het begin vergat ik steeds alle namen. Van het begin af aan had de familie al problemen met hem.

Als kind was hij al heel intelligent en ontwikkelde hij zich snel, en hoewel hij onder grote druk werd gezet om zich aan hun manier van leven aan te passen, was er altijd vanwege zijn intelligentie een afstand tussen hem en de rest. Op school was hij een goede leerling en hij won beurzen met zijn bijzondere kennis. De lagere school doorliep hij snel, en eenmaal in de puberteit was hij zijn leeftijdgenoten ver vooruit. Hewlett-Packard had hem meteen na zijn studie een contract aangeboden en een paar maanden later had British Aerospace hem daar weggekocht.

In de familie wisten ze niet zo goed wat ze met hem aan moesten, want hij leek geen belangstelling te hebben voor het runnen van winkels of een misdaadkartel en zelfs niet voor een taxibedrijf en het werk dat hij deed stond veel te ver van hen af om er iets van te snappen, zodat hij nogal eenzaam was toen hij trouwde. Hij hield van schaken en lezen en altijd zwierven er boeken en tijdschriften rond. Ook luisterde hij naar hele rare muziek. Heavy metal, bijvoorbeeld, jazz en rock. Toen ik bij hem introk zat er in zijn verzameling ook een hele stapel klassieke platen, die hij vaak draaide als hij aan het werk was. En werken deed hij bijna altijd. Een paar weken na ons huwelijk verklapten zijn familieleden al dat hij een beetje een vreemde eend was, en dat ik hem niet te serieus moest nemen.

In die eerste paar jaar ontdekte ik dat hij anders was dan alle andere sikhs die ik kende uit mijn eigen omgeving of die van hem. Vanaf de allereerste avond dat we samen in een kamer werden gestopt, was het duidelijk dat hij zich niet op zijn gemak voelde met de gang van zaken. De vrouwen die me aankleedden en op de avond voorbereidden, hadden me verteld dat ik niet mocht gillen, schreeuwen of me verdedigen, wat er ook gebeurde. Wat er zou gebeuren was iets natuurlijks tussen echtgenoten en het was mijn taak al zijn bevelen op te volgen.

Ze beschilderden me met tonnen make-up en hulden me in een aantal lagen mooie zijden kleding. Zo uitgedost, met juwelen, sluiers en bloemen, werd ik in mijn eentje op het bed gedropt om te blijven wachten met een bord zoetigheden en twee glazen kruidige melk voor hem als hij zou komen. Onder al die zware doeken zag ik geen hand voor ogen, en ik was doodsbenauwd voor wat er te gebeuren stond. Herinneringen aan afranselingen en aanrandingen in mijn jeugd vulden mijn gedachten en door de verhalen van andere jonge vrouwen over wat mannen met vrouwen deden, ontsponnen zich nachtmerries in mijn hoofd; ik was nog maar net zestien en het was me wonder boven wonder gelukt om maagd te blijven, hoewel er pogingen waren gedaan mij van mijn reinheid te beroven.

Urenlang wachtte ik op het bed.

Volgens de traditie zou het feest doorgaan tot de bruidegom genoeg moed verzameld had of zich voldoende moed had ingedronken om naar boven te komen en zijn nieuwe levensgezellin van haar sluier te ontdoen.

Later vertelde hij me dat iedere man in de feestruimte hem die avond advies had gegeven. De ouderen zeiden dat hij niet te ruw of te snel te werk moest gaan, omdat hij het de rest van zijn leven met mijn kookkunsten zou moeten doen, en de jongeren zeiden neem d'r maar lekker.

Meer seksuele voorlichting had je in onze cultuur kennelijk niet nodig, niet te ruw voor de mannen en schreeuw niet of verdedig je niet voor de vrouwen, kort en krachtig.

Het was een handeling, meer niet.

Uiteindelijk hebben we die nacht helemaal niet gevreeen, net zo min als de eerstvolgende maanden. Toch kreeg onze relatie door de gebeurtenissen van die nacht een basis. Tegen de tijd dat hij de slaapkamer in werd geduwd, was ik al half slapend tegen de hoofdkussens gezakt, en door het plotselinge lawaai schrok ik overeind. Ik zat op de rand van het bed, waar de vrouwen me uren geleden hadden achter-gelaten.

Ik hoorde zijn voeten door de kamer schuifelen, maar hij kwam niet echt dichtbij. Hij vroeg of alles in orde was en of hij nog iets voor me moest halen. Ik wist niet of ik met mijn hoofd moest knikken of schudden, want alles was inderdaad in orde, maar hij hoefde niets voor me te halen, dus ik besloot stil te blijven zitten. Vervolgens zei hij dat ik niet bang hoefde te zijn en dat hij me absoluut geen pijn zou doen, maar hij drong er wel op aan dat ik me van mijn sluiers zou ontdoen, omdat hij dacht dat ik onder al die doeken moeilijk adem zou kunnen halen. Ik hield mijn hoofd om-laag gebogen, maar deed wat hij had gevraagd en trok de sluiers zo ver omhoog dat hij de onderste helft van mijn gezicht kon zien, mijn kin, neus en mond. Op dat moment kon ik weinig van de kamer zien, maar ik zag wel dat hij een fauteuil uit de hoek getrokken had, en die naast een platenspeler had gezet. Hij vroeg me of ik van Tangerine Cream en Pink Floyd hield, en ik had net bedacht dat het waarschijnlijk om bijzondere ijssmaken ging, toen het eer-ste nummer van Dark Side of the Moon begon te spelen.

Dit zou ons ritueel worden, hij sprak met, of eerder tegen mij, terwijl hij zelf zijn eigen vragen en twijfels beantwoord-de, en zolang ik maar bleef luisteren was alles prima in orde.

Toen de muziek was afgelopen, was hij onderuit hangend in de stoel in slaap gevallen. Ongeveer een half uur bleef ik bewegingloos zitten, toen stond ik op en dekte hem toe met een deken en nestelde me in een hoek van het bed boven op de dekens om zelf in een onrustige slaap te vallen.

Vlak voor het licht werd maakte hij me zachtjes wakker en zei dat we moesten zorgen dat het bed eruitzag alsof het was gebruikt voordat ze met het ontbijt zouden komen, want anders zouden ze ons verwijten dat we ons huwelijk versmaadden. De woorden die hij gebruikte begreep ik niet helemaal, maar ik snapte wel wat hij bedoelde.

Nu hadden we elkaars gezicht dus vrij goed kunnen zien, en ik weet niet wat hij dacht, maar ik vond hem niet echt knap of zo, maar zijn gezicht was niet hardvochtig of scherp, en ik zou er wel aan kunnen wennen, wat moest ik anders?

Afijn, dit was het eerste dat we samen deden en op een leuke manier kregen we hierdoor wel een band.

We trokken de dekens van het bed los en hij haalde een klein flesje rode vloeistof uit zijn zak. Hij depte een paar druppels op de lakens en slordig trok hij de dekens er weer overheen.

Het ontbijt stond klaar en we gingen naar beneden, ten volste beseffend dat iemand de lakens zou doorzoeken naar de vlek zodra we de kamer uit waren en de kust veilig was. De weken daarna brachten we de tijd in onze kamer door, pratend en luisterend naar de platen uit zijn verzameling. Nooit probeerde hij me echt tot vrijen te dwingen, maar we wisten allebei dat het niet meer dan een kwestie van tijd zou zijn voor het gebeurde, want de vrouwen hielden zogenaamd terloops maar intussen uiterst nauwgezet mijn cyclus in de gaten.

We vrijden niet hartstochtelijk met elkaar, maar het bleek niet zo erg te zijn als ik had verwacht en als hij klaar was hield hij me soms even vast, en dan voelde het vaak alsof ik echt dichtbij hem stond. De geboorte van ons eerste kind vond plaats toen we nog bij zijn familie in huis woonden, en vlak na de geboorte van de tweede verhuisden we naar ons eigen huis. Hij had een paar nogal rare gewoontes, maar ik was zijn vrouw, dus ik had het maar te accepteren. De drugs vond ik maar niks, gele en witte poeders die hij in zijn neus opsnoof, waardoor hij ongedurig werd, met grote ogen. Maar hij kocht cadeautjes voor me en altijd als ik iets nodig had, kreeg ik er geld voor.

Aziatische vrouwen zijn verzot op goud, en regelmatig kreeg ik nieuwe juwelen voor mijn verzameling.

De cadeautjes die hij zelf voor me kocht waren zonderling, maar toch wel leuk. Voornamelijk boeken en nieuwe elektronische machines om me te helpen met het huishouden. Twee kinderen vormen het bewijs dat een huwelijk beklonken is, en plichtsgetrouw ging hij op zoek naar een maîtresse en tekende hij op werk voor de nachtdienst voor langere tijd. Dus als hij niet op werk of bij haar was, spendeerde hij misschien een paar nachten per maand in mijn bed, en de behoefte aan seks had niets behalve voortplanting ten doel.

Het was een ideale situatie.

Hij had zijn werk, hobby's en seks en ik had een groot huis, kinderen en een man. Het enige wat ontbrak was een zoon, maar die zou er nooit komen.

Opeens zat ik weer in mijn kamer in mijn nieuwe wereld, en ik vroeg me af hoe ik van daaruit hier was beland. Morgans stemgeluid deed mij uit mijn versuffing ontwaken, ze gilde van beneden dat iedereen snel moest komen, er was iets aan de hand. Toen ik in de woonkamer kwam, was iedereen daar al, en Jane en Danny zaten op de bank.

Ze zouden pas een paar dagen later uit Ierland terugkomen en het verbaasde me hun te zien, ze zagen er vreselijk uit. Jane zat te huilen en wiegde van voren naar achteren, Danny was alleen maar moe en versuft. De hele nacht hadden ze met de boot en de trein gereisd, eindelijk had Jane haar ouders de waarheid verteld. In al die tijd dat ik steun had gekregen omdat ik een cultuur vol onderdrukking had ontvlucht, had ik nooit heel veel contact gehad met Jane. Niet dat ze onaardig was, of ongeïnteresseerd, maar ze liet niet veel los over zichzelf, ze was een beetje verlegen. Omdat ze zich altijd zo op de achtergrond had gehouden, wist ik nooit wie ze was of hoe ze bij ons terecht was gekomen. En nu bleek ze in feite mijn lotgenoot! Ze was geboren en getogen in een dorpje aan de kust in het zuidwesten van Ierland in een kleine, hechte gemeenschap.

De mensen in het dorp waren grotendeels katholiek, hoewel niet in extreme mate, maar toch een beetje van de wereld verwijderd, en de families woonden er al eeuwen. Als tiener ging ze naar een feestje met een jongen die ze van school kende, om er later achter te komen dat ze zwanger was, zeventien jaar oud. Ze hielden niet van elkaar, maar werden gedwongen met elkaar te trouwen omwille van het kind, en van abortus kon geen sprake zijn. Ze had zeven broers en vier zussen, dus er stonden duidelijk reputaties op het spel. Ze trouwden en vlak na de geboorte van Danny besloten ze het in Engeland te gaan maken. Dit was maar een trucje, het plan was eigenlijk om samen weg te komen, en als ze eenmaal gesetteld waren omwille van het kind, konden ze ieder hun eigen leven leiden, om de schijn op te houden als ze naar huis zouden gaan. Jane en haar man vonden allebei woonruimte en zorgden ervoor dat bij ieder van hen voldoende ruimte was voor Danny, en ze regelden dat ze om beurten voor hem zorgden.

Een tijdje ging het goed, totdat Danny's vader vertrok om verder te gaan met een Spaanse die hij op vakantie had ontmoet. Hij beloofde om terug te komen zo vaak als hij kon, maar hij kon zijn nieuwe geliefde niet overhalen om naar Engeland te verhuizen.

Jane vond het niet erg om voor Danny te zorgen, maar het viel haar zwaar om de schijn op te houden voor thuis. Deze kerst had ze besloten voorgoed een einde te maken aan het theater, en haar familie de waarheid te vertellen. Ze was niet verder dan het gescheiden wonen gekomen, toen het al gruwelijk misging. In zo'n plattelandsgemeenschap zijn mannen veel meer familiegericht en de druk op de ke-

157

tel van de mannelijke trots was nog altijd hoog, ook al was het 1980. Haar vader schoot vuur en begon als een razende te tieren over die klerelijer die nergens goed voor was, aan wie hij zijn dochter aan had toevertrouwd. Haar moeder barstte in tranen uit en zei dat het niet uitmaakte, ze kon gewoon met Danny terugkomen naar huis.

Nu wist ze dat ze haar mond moest houden over de rest van het verhaal, en moest maken dat ze zo snel en stilletjes mogelijk wegkwam. Haar broers begonnen al vragen te stellen over waar Danny's vader was, hij verdiende een pak slaag om hun goede naam in ere te herstellen.

Iedereen in de kamer luisterde, maar niemand snapte beter wat ze voelde dan ik. Ik herkende de paniek op haar gespannen gezicht en begreep precies waarom ze moest maken dat ze wegkwam. Iemand in de kamer zei dat ze nu wel veilig zou zijn en dat haar familie niet het recht had te bepalen wat ze in Engeland deed, bovendien was ze een volwassen vrouw, en niemand kon haar dwingen tot iets wat ze niet wilde. Tegelijkertijd begonnen Jane en ik keihard te lachen. Heel veel mensen begrepen er gewoon niets van, ze konden zich niet voorstellen hoe het voelt als je weet dat je familie van je houdt en om je geeft, maar dat ze je wel zullen afranselen, gevangen houden en nog veel erger als je je niet aan hun regels houdt. Ik wel, en terwijl Jane en ik zaten te lachen om die laatste uitspraak, wisten we allebei wat ons te doen stond. Het werd tijd dat ze van de aardbodem verdween.

We wisten dat we een paar dagen speling hadden, want dit soort dingen verloopt altijd volgens een vast, bekend patroon waarbij de twee families thuis eerst modder en dreigementen naar elkaar smijten. Daar in het dorp was alles nog in het roddelstadium. Na een paar dagen van gefluister bij de slager en het postkantoor, kwam het gevecht in de plaatselijke kroeg en de ruzie tussen de omstanders daarna, waarop de religieuze vredestroepen ten tonele zouden verschijnen. Die zouden beide kanten kalmeren en overhalen tot het rondetafelgesprek, en de uitkomst daarvan zou zijn dat zowel Jane als haar man te jong waren om hun gevoelens te duiden, en dat ze gezocht moesten worden en naar huis worden gebracht.

De familie van Jane zou ten einde raad zijn dat hun dochter onvindbaar was, want ze wisten dat Danny's vader waarschijnlijk niet eenvoudig te vinden zou zijn, dus zouden ze zeggen dat ze Jane en haar arme kleine dreumes zouden opzoeken en naar huis halen, en als de vader gevonden werd, zouden ze hun appeltje met hem nog wel schillen. Allemaal macho-gelul, natuurlijk, maar de jacht kon beginnen en Jane's broer zou minimaal voor de schijn naar Engeland komen in een poging haar te halen.

Zonder ook maar een woord met elkaar te wisselen, beseften Jane en ik dat dit of iets soortgelijks zou gebeuren.

Ik ging naast haar zitten, keek haar aan en zei dat ik haar zou helpen.

De drie dagen daarop stonden onze levens op hyperactief. Gursh zou blijven tot het feest en Lenny, werd besloten, zou op Jane's kamer komen als die de stad uit was, en tot die tijd kon ze in mijn kamer terecht. Danny was bij zijn terugkomst een beetje in zichzelf gekeerd, maar hij en Arie hadden elkaar gemist en binnen de kortste keren hadden ze hoekjes gevonden in de tuin om wormen op te graven. Het was mij ontgaan hoezeer de kinderen het gezelschap van andere kinderen hadden gemist toen ze alleen maar onder volwassenen waren. De volgende dag kwamen Rosie en Sophie ook thuis, met hun moeders natuurlijk.

Het hele huis gonsde weer van de mensen en degenen die terugkwamen hadden waanzinnige stapels heerlijkheden meegenomen, en hele verzamelingen cadeautjes, kleren, boeken enzovoort.

Kerstmis was voorbij. John hielp Lenny haar spullen van de campus te verhuizen en ik hielp Jane met het inpakken van de dingen die ze niet op haar reis naar Spanje mee zou kunnen nemen. Met behulp van de telefoon spoorden we Danny's vader op en hij en zijn nieuwe geliefde wilden Jane graag helpen om daar een nieuw leven op te bouwen. Hetzelfde systeem als daarvoor: gescheiden levens en om beurten de zorg voor Danny.

Alle huisgenoten hadden hun geld bij elkaar gelegd om de tickets naar het vasteland te betalen. Robbin en een deel van het Convoy ging er toch met busjes en vrachtwagens naartoe voor de lenteraces, met hen kon ze zo ver mogelijk meerijden, en vandaar kon ze de bus nemen. Janice stelde een hele lijst samen met nuttige namen en adressen van opvanghuizen voor vrouwen en mogelijke plekken voor woonruimte of werk en Mary de mystica zocht andere dingen bij elkaar die ze misschien nodig zou hebben als ze aankwam, Spaanse woordenboeken, plattegronden, een verbandtrommel enzovoort.

Sarah zorgde voor Gursh, want door zijn verwondingen was hij nog niet tot veel in staat en Lenny moest die dagen voornamelijk op de kinderen passen, want de andere spannende nieuwigheid van die dagen was de nieuwe zaak.

Nigel en Morgan vlogen overal naartoe om lampen en meubilair te kopen en een paar jongens van de motorclub hielpen met het uitzoeken van de technische dingen, zoals het licht en de nieuwe inrichting. Martin en John hadden aangeboden te schilderen en de aankleding te doen en Mary, Janice, Jane en ik planden het eten en de uitnodigingen.

Op oudejaarsmorgen waren we klaar voor vertrek.

15
Vlucht

In het begin verliep het plan vrij soepel. Omdat we allemaal tot in de vroege uurtjes hadden gewerkt om alles op tijd klaar te krijgen, sliepen we lang uit. Jane en Danny hadden alles ingepakt en waren klaar om meteen na het feest weg te gaan. Lenny had al haar spullen verhuisd en Gursh had al een stuk meer praatjes, en keek zelfs uit naar zijn eerste behoorlijke borrel sinds de knokpartij, omdat hij eindelijk in staat was zijn kaak, met pinnen en al, pijnloos te manoeuvreren.

De manier waarop hij at en dronk was een complete toneelvoorstelling geworden, die garant stond voor vele uren kinderplezier. Gasten van ver kwamen eerst naar het huis om hun spullen en slaapzakken te droppen. Sam kwam met de auto uit Londen, en bood Gursh aan om na het feest met haar mee terug te rijden. Die avond waren er speciale babysitters voor de kinderen geregeld en in de woonkamer werd een middagdisco ingericht, zodat ze niets van de feestelijke stemming zouden missen.

Zodra de kinderen schoon en wel in bed lagen, vertrokken we naar The Folkhouse. Het zag er schitterend uit. De keuken was helemaal nieuw ingericht met een nieuw, professioneel aanrecht, kasten, gasfornuis, magnetron en een grote ijskast en vriezer. Een siermuurtje met een opening met een schuifluik ervoor, scheidde de keuken van het café. Een paar meter voor het doorgeefluik stond een toonbank met gekoelde waren, koffie- en theekannen stonden in de hoek. Nieuwe rieten tafels en stoelen stonden overal in de ruimte verspreid en zagen er fantastisch uit in het gedempte licht dat uit de lampen kwam die erboven hingen en van hetzelfde materiaal waren gemaakt. De muren en hoge plafonds waren opnieuw geschilderd in zachte pastelkleuren en Nigels vrienden van de motorclub hadden alles die avond in een schitterend licht gezet. Niemand wist waar ze ze precies vandaan hadden gehaald, maar alles was gehuld in een spinnenweb van duizenden minuscule lichtjes als in een kerstboom, maar dan nog veel kleiner. Het was een prachtig gezicht. Tegen achten kwamen de eerste gasten: vrienden van ver en van dichtbij.

Fanny, Robbin, Nobby en Charlie de schoorsteen waren er al, en daar kwamen Nick en Jackie. Het was fijn om die bekende gezichten te zien en tegen de tijd dat Nigels vrienden van de motorclub en Lenny's studievrienden binnenkwamen, was het een flinke partij. Dit was anders dan het vorige oudejaarsfeest, want omdat we in de stad waren, keken de meesten iets beter uit voor ze zich lieten gaan, maar er werd nog steeds een heleboel gerookt, want het was een privé-feestje, en zoals ik al uitlegde lag het gebouw behoorlijk uit het zicht. Nu zeggen ze dat er aan alles wel een goede kant zit, het is maar net hoe je het bekijkt, en vanaf waar ik stond, kwam het feestjes pas echt goed op gang om een uur of half twaalf. Iedereen stond te dansen en te drinken, te knuffelen en te zoenen toen ik toevallig naar de glazen ruiten van de hoofdingang keek.

Een groepje mensen kwam de trap op, de deuren door en tot mijn stomme verbazing ontdekte ik dat ik minstens een van hen kende, en wel kon raden wie de anderen waren. Lachend en zwaaiend liep Xavier voorop.

Hartelijk omhelsde hij me en hij knuffelde me gedag,

boven de muziek uit schreeuwend dat hij zo snel mogelijk was teruggekomen om op tijd te zijn voor het nieuwe jaar begon, maar hij wist helemaal niet dat we een feest hadden georganiseerd. Hij had een hele zware jetlag, maar de baby-sitters hadden hem verteld waar hij ons kon vinden en hij was ogenblikkelijk hiernaartoe gekomen. Toen hij het huis uit kwam, was hij deze mensen tegengekomen, en hij wees naar de groep die na hem binnenkwam. Zij wilden ook weten waar het feest was, en waren zo vriendelijk geweest hem een lift aan te bieden als hij ze dan de weg kon wijzen.

Voor het huis had ook nog een andere vent gestaan.

Toen Xavier hem vertelde dat wij in The Folkhouse waren, zei hij dat hij wist waar het was. Hij zou wel lopen, anders werd het in de auto te krap.

Ik keek de ruimte door, op zoek naar Jane, en Nigel liep de groep lange, stevige kerels tegemoet, en zei dat hij geen problemen wilde. Een van hen riep dat hij wilde weten waar zijn zuster was, en de kleine samenscholing begon in het oog te lopen. Er werd wat geduwd en getrokken en ik geloof dat John degene was die de eerste klap kreeg toen hij tussen Nigel en de nieuwelingen in wilde gaan staan.

Vanaf dat moment was het oorlog.

Lenny en ik sleurden Jane de ruimte uit om ongezien bij de zij-uitgang te komen. Je kon de stoelen en tafels overal tegenaan horen vliegen, maar de muziek bleef spelen.

Mary en Janice gingen snel op zoek naar Robbin en riepen dat hij snel Jane terug naar huis moest brengen, Danny en de tassen op moest halen om zo een paar uur voorsprong op te bouwen voor als de kerels zouden proberen haar te volgen.

Maar toen ik weer het café in gluurde, leek het er niet op dat er ook maar iemand van plan was snel te vertrekken. De meeste vrouwen stonden in de hoeken gedrukt en keken van een afstand toe, terwijl de jongens als in een echte western met elkaar op de vuist gingen.

Jane zag lijkbleek en moest naar de wc, terwijl Robbin alvast het busje ging halen. Lenny en ik stonden voor de wc's op de uitkijk. De zij-ingang van het gebouw kwam op Park Street uit, een steile heuvelweg. Door een steegje dat op de hoofdstraat uitkwam, zagen we iemand naar beneden komen, en we dachten dat het Robbin was, die terugkwam. Uit de wc kwam niet het minste geluid, en Jane leek er uren over te doen. Lenny besloot naar binnen te gaan om te kijken of alles in orde was.

Het gevecht was nu zo hevig dat de vonken er vanaf vlogen, maar aan de geluiden was niet te horen wie er aan de winnende hand was, de Ierse kerels zagen eruit alsof ze er wel raad mee wisten, en afgaand op Jane's verhalen, leken dit soort gevechten bijna een hobby te zijn onder de mannen uit haar dorp.

Ik deed zo mijn best om door het open luikje een glimp van het gevecht op te vangen en mijn oren open te houden voor het geval Jane en Lenny me nodig hadden, dat ik me nauwelijks omdraaide toen de voetstappen uit het steegje mij van achteren naderden en stilhielden. Ik draaide me om, om Robbin te zeggen dat ik de meiden van de wc zou halen, en bleef toen stijfbevroren staan.

Het was Robbin helemaal niet, het was de bommenmaker.

Even stond ik als aan de grond genageld. Hij was dun en bleek, en hij had een vreemde blik in zijn ogen. Hij knielde voor me en begon te huilen. Hij smeekte me of ik hem wilde helpen? Hij wist dat ik niet van hem hield en hij wist ook niet of hij wel van mij hield, maar de familie had geprobeerd hem te drogeren en op het vliegtuig naar India te zetten.

Het lukte hem maar niet om een moderne Aziatische vrouw bij zich te houden, zodat ze een lieve, gehoorzame

Indiase bruid voor hem hadden gekozen, en hij wilde eronderuit.

Zijn eigen drugsgewoontes hadden hem minder gevoelig gemaakt voor de effecten ervan, en de dosis die ze hem hadden gegeven, had hem niet helemaal versuft. Hij had genoeg spullen bij elkaar gegrist om in leven te blijven, maar hij had niets en niemand waar hij naartoe kon. Precies op het moment dat het gevecht de gang in brak, kwamen Lenny en Jane uit de wc, en een van de broers zag haar. Op het laatste nippertje verscheen Robbin, en de motor van het busje liep al.

De bommenmaker sprong overeind en ik schreeuwde dat hij mij moest volgen, terwijl Lenny en ik Jane beetpakten, en we renden het steegje omhoog, achter Robbin aan. Nigel en zijn bende sprongen weer bovenop de kerels en als razenden schopten en sloegen ze hen terug de feestruimte in.

Onderweg naar huis stelde ik de bommenmaker aan de anderen voor, en vroeg of er nog iemand met hen mee het land uit kon rijden, als hij betaalde. Hij zei dat ze als haringen in een ton zouden zitten, maar dat alles te doen was. Aan de bommenmaker legde ik de situatie uit, over Jane die naar Spanje ging en waarom. Hij had zelf geld, en als hij beloofde Jane en Danny veilig op hun bestemming af te leveren, zouden zij en haar man misschien wel een verblijfplaats voor hem kunnen vinden, in ieder geval tot het ergste er hier van af zou zijn, zodat hij tijd kreeg om te bedenken wat hij verder met zichzelf aan moest.

Het was een schitterend idee en voor de gelegenheid leek het helemaal perfect. De deal was rond. Terug in huis pakten we snel wat eten in voor de reis en de bommenmaker en ik praatten even met elkaar, terwijl Lenny en Robbin hielpen de slapende Danny, Jane en haar tassen het busje in te laden.

Na al die tijd was ons gesprek op zijn minst nogal gespannen te noemen. Hij vertelde me dat de gemeenschap dacht dat ik naar Amerika was vertrokken, dus over hen hoefde ik me niet zo veel zorgen te maken. Ook zei hij dat hij mij ontzettend bewonderde omdat ik het in mijn eentje had gered, en hij was me dankbaar voor mijn hulp.

Het was zo vreemd om hem te zien en zijn stem te horen, de stem waarvan ik ooit dacht dat die recht had op mijn hele bestaan en de volledige heerschappij over mijn hele leven. Hij miste de kinderen en hij vroeg of hij even bij ze mocht kijken, alleen maar om ze te zien.

Bang was ik niet meer voor hem en het feit dat hij zo verloren en verward was nu ik hem zag, maakte me eigenlijk alleen maar heel bedroefd. Ik wist dat mijn vrienden ervoor zouden zorgen dat hij op zijn pootjes terechtkwam, en even schoof ons andere leven tussen ons door toen hij in het busje stapte en zich voor het laatst nog een keer naar me omdraaide. Hij zei dat hij contact zou houden, en stak een hand vol bankbiljetten naar me uit en beloofde me later meer te sturen.

Ik weigerde het geld door mijn hoofd te schudden en boog voorover en kuste zijn voorhoofd. Ik had zijn geld niet nodig, maar als hij echt zeker wist dat hij zijn eigen leven wilde leiden, en geen extremistische ideeën aan de kinderen op zou dringen, wilde ik omwille van hen wel contact met hem houden. Hij glimlachte en bedankte me opnieuw. Het afscheid van Jane was al net zo moeilijk en verwarrend. Al die tijd dat we samen in huis hadden gewoond, meer dan een jaar, waren we nooit zo close geweest, maar de laatste paar dagen leken nu wel een eeuw, zodat we afscheid namen alsof we elkaar al ons hele leven hadden gekend. Ook zij beloofde contact te houden en ze zou bellen zodra ze aangekomen was. Lenny en ik zwaaiden hen uit en gingen het huis weer in om de tranen met thee van ons gezicht te wissen. Vervolgens ging ik even bij de kinderen kijken om er zeker van te zijn dat ze veilig waren en we liepen terug naar The Folkhouse om te kijken hoe groot de schade was.

16
De vuurtoren

Het nieuwe jaar was natuurlijk begonnen zonder dat we er erg in hadden en overal op de beter verlichte straten onderweg liepen vrolijke, dronken mensen te zingen en te dansen. De schade bleek niet zo erg als verwacht.

Na ons vertrek had het gevecht zich naar de straat verplaatst en hoewel de tafels en stoelen in de rondte waren gegooid, leken gebroken glazen het enige probleem. En zelfs dat was niet eens een probleem geweest, ware het niet dat het feest verder was gegaan nadat de politie was gekomen en Jane's broers had meegenomen, zodat ze niet genoeg glazen hadden.

Het probleem werd opgelost door de nieuwe koffie- en theekoppen uit te pakken en de zware, in leer geklede motorjongens die hun bourbon en scotch uit kunstzinnig aardewerk stonden te drinken, vormden een lachwekkend gezicht. De uitslag van het gevecht werd in de hele ruimte besproken en overdreven. Ook werd gelachen om grappen over hoe de politie zeven volledig nuchtere Ieren had meegenomen en opgesloten, terwijl ze zeker tientallen kleine, hasjrokende criminelen hadden kunnen oppakken.

Iedereen leek zich prima te hebben vermaakt, en toen ze hoorden dat Jane veilig was, ging de feestvreugde nog een paar uur door. Voordat de laatste gasten weggingen, om een uurtje of vier, begonnen we de ruimte schoon te vegen. Xavier lag op de grond en probeerde zichzelf dood te drinken.

Hij schaamde zich zo ontzettend toen hij hoorde hoe verkeerd het was geweest om Jane's broer recht op haar af te sturen, dat hij vond dat hij er zelf maar een einde aan moest proberen te maken.

Lenny, die van zijn reputatie als minnaar had gehoord, probeerde hem uit deze benauwde toestand te redden. Nigel en Morgan hadden ervoor gezorgd dat de motorrijders rustig waren vertrokken, want ze wilden niet het 'verkeerde' soort publiek naar hun zaak trekken. De studenten vonden het een superpubliciteitsstunt en waren vast van plan al hun vrienden over het gevecht en het café te vertellen. Gursh werd door Nick, Jackie en Sam naar huis gebracht, en hij leek het prima te vinden om door drie vrouwen te worden vertroeteld. Sarah en Martin boden me een lift terug aan, maar Nigel en Morgan wilden nog even met mij alleen praten, en daarom zei John dat hij wat later met me terug zou lopen. Hij deed de laatste afwas terwijl Morgan en Nigel met mij een gesprek begonnen over hun mogelijke peetouderschap over Vinny en Arie. Ze wilden een fonds voor hen oprichten. Het zou een mooie aftrekpost zijn voor de belasting en ik hoefde me geen zorgen te maken over hun toekomst.

Ik wist niet wat ik moest zeggen. Natuurlijk hadden we het nooit openlijk over de oorspronkelijke herkomst van het geld voor Nigels investeringen, maar ik had een donkerbruin vermoeden dat niet alleen het geld van de zaak door de boeken van het café zou rollen. Maar op dat moment wist ik nog niet genoeg om alle details van zoiets tot op de bodem uit te kunnen zoeken, en het was een geruststellende gedachte dat iemand anders over de toekomst van mijn kinderen waakte.

John kwam binnen met een paar koppen koffie en Nigel en Morgan gaven me de sleutels om het café af te sluiten, en vertrokken.

Samen zaten we koffie te drinken, en even zeiden we helemaal niets.

Toen vertelde John dat hij van Lenny had gehoord dat de bommenmaker opeens was komen opdagen. Hij wilde weten hoe ik me voelde.

Ik had er geen woorden voor. Ik was verdrietig, maar ik hoefde niet te huilen, ik was blij, maar ik hoefde niet te lachen. We sloten af en langzaam liepen we naar huis langs het water, waar Jannie en ik hadden gezeten op mijn eerste avondje uit. Sindsdien was er veel gebeurd, maar ik had nog een hele weg te gaan voordat ik mijn nieuwe leven en de mensen die er deel van uitmaakten helemaal zou kunnen begrijpen. Wat ik wel wist, was dat ik inmiddels een aantal dingen begreep. Eerder dingen die met mezelf, dan met anderen te maken hadden. Ik wist dat mijn gevoelens over mijn eigen achtergrond niet eenduidig waren en dat niet alles wat ik had achtergelaten, ook echt moest worden achtergelaten.

Sommige delen ervan moest ik meenemen naar deze wereld, omdat ik anders nooit in staat zou zijn het echt te redden. Ook wist ik dat ik minder bang was voor het onbekende en onder druk was ik sterker dan ik had gedacht. Ik denk dat het vertrouwen heet en geloof in jezelf, maar je moet iemand zijn om op die iemand te kunnen vertrouwen. Ik was iemand aan het worden, en ik was gezegend met de hulp van mijn nieuwe vrienden. Ze waren mijn gemeenschap en familie geworden en hadden me steun en vertrouwen gegeven.

Knisperige koude lucht verraste onze longen tijdens het lopen, het donker van de nacht begon nog maar net te wijken. Bij de kruising waar de oever en de grote weg van alweer een steile heuvel worden gescheiden, zag ik mijn spiegelbeeld in een etalageruit. Iedereen, behalve de kinderen, die het over niets anders hadden gehad, had beleefd gezwegen over de zwelling rond mijn neus. Deze was nu iets kleiner geworden, maar inmiddels zaten er enorme donkerblauwe en paarse vlekken bij de neusbrug en rond mijn oogkassen. Ik bleef staan om nog eens beter te kijken en ontdekte dat de donkere kleur die vrij normaal is bij Aziatische vrouwen van mijn soort, bij de blauwe plekken volkomen was verdwenen. Daardoor, en met die kleine extra zwelling rond mijn neus en wangen, zag ik eruit als een lid van zo'n pygmeeënstam die ik in documentaires op de zondekist had gezien, volgens ritueel gekleed voor de jacht of een feest.

Ik had het zo gehad, voelde me zo moe en zo lelijk dat ik begon te huilen.

Achter me hoorde ik de stem van John de dichter die zei dat het allemaal wel goed zou komen.

Toen ik omhoog keek in de etalageruit, zag ik zijn gezicht terwijl hij zijn armen zachtjes om mijn schouders sloeg en me naar zich toe trok. Zijn armen voelden sterk en warm en ik ontspande en leunde met mijn hele gewicht zijn omhelzing in. Hij zei dat hij me zou laten zien waarom hij wist dat het allemaal goed zou komen en vroeg me of ik meeging op een kleine omweg naar huis. Hij wist dat ik moe was, maar de korte klim omhoog bij de volgende straat was de moeite waard. De klim bleek een heel stuk langer. Eerst een steile straat omhoog en toen een grasheuvel die naar de voet van een hele hoge toren leidde, Cabot's Tower. Ik had de toren wel honderd of duizenden keren gezien, omdat het een van de meest opvallende gebouwen is van de skyline van dat deel van Bristol. Maar nog nooit had ik erover gedacht hem te beklimmen, omdat ik niet wist dat het kon.

Het kostte ons een half uur om de honderden hele smalle stenen treden te beklimmen in het spiraalvormige trappenhuis dat precies groot genoeg was voor niet meer dan één persoon tegelijk. Het was geen trappenhuis in een hoek, of ingebed in een deel van de kernstructuur van de toren, dit was alles. De hele toren was niet meer dan een groot trappenhuis, gebouwd door Sebastian Cabot. Met regelmatige tussenpozen zaten er gleuven in voor daglicht, maar dat was nog niet echt op sterkte, waardoor het heel erg donker was.

Even twijfelde ik, maar John verzekerde me dat hij er eindeloos vaak op geklommen was en dat het schitterend was als je boven kwam.

Van achteren hield ik me aan zijn jas vast en hij liep voorop.

Het leek wel alsof we urenlang als lamme en blinde door het donker schuifelden. John ratelde maar door over hoe de heuvel vroeger al gebruikt werd om vuren te stoken bij wijze van zeemansbaken, zelfs al voordat de toren er stond. Vanaf Brandon Hill kon je de hele monding van de rivier de Avon zien, langs de splitsing tot aan zee. Het idee om er een godvergeten grote toren op te plakken moet heel simpel zijn geweest, maar het bouwen was zeker een ongelooflijk karwei.

Terwijl John doorpraatte onder het klimmen, raakte ik weer in een soort trance. Het gevoel dat we ons een weg omhoog tastten over al die trappen en het punt bereikten waar je weet dat je te ver bent om naar beneden te gaan en je hebt zo weinig adem in je lijf dat je niet eens meer kan praten maar je denkt verdomme en weet dat je nu toch gewoon alleen maar door zal klimmen want je weet dat de top niet langer onhaalbaar is, je krijgt een ontzettende vastberaden kick. Een fractie van een seconde denk je nog, oké, zal ik het opgeven, en iets binnenin je, een soort woede of frustratie zegt nee, ik ga door want ik kan niks anders. Het is zo over maar het is er nu, afijn, zo voelde ik me.

Ik kon me niet herinneren dat ik me ooit eerder zo had

gevoeld, behalve dan in reactie op iets dat al voor me was beslist. Maar dat was iets heel anders geweest dan het ervoor kiezen om een kop thee te maken of een programma op de zondekist te bekijken. Ik had dit gevoel vroeger alleen maar gehad als iemand me had gezegd dat ik hier moest gaan zitten, daar gaan staan, praat alleen maar met die en die, zeg niets terug, verdedig je niet, eet dit, draag deze kleren en ten slotte: trouw met deze man, vrij met hem en schenk hem zonen. Destijds was het gevoel altijd zwaar geweest, diep in mijn strot en hard. Ik ging zitten en staan waar het moest, zei niets terug en at en dronk wat ik kon, ik verdedigde mezelf nooit en ik voelde niets en ik zei altijd maar tegen mezelf verdomme, ik moet gewoon volhouden.

Goed, dat gevoel was er nu dus weer, maar op dit moment voelde het licht en luchtig en in mijn hoofd en hart en niet in mijn strot.

Ik voelde de sleutels van The Folkhouse in mijn zak heen en weer rinkelen en ik kon mijn adem horen hijgen en puffen maar het machtigste dat ik kon voelen was het kloppen van mijn eigen hart in mijn oren, en het voelde alsof ik zweefde.

Flitsen van de bommenmaker die afscheid nam en de kinderen opgekruld in bed vlogen door mijn hoofd toen boven ons een straal daglicht in zicht kwam.

Een smalle, onoverdekte omloop verscheen als een waaier uit de laatste treden en het uitzicht ontnam je het laatste restje adem dat je na de klimtocht nog over had.

Het was prachtig. Je kon elke kant uit kilometers ver kijken, over de daken van de huizen en de bomen en bossen, helemaal over de A4 en Bath. John zei dat je op een heldere dag over het water Wales kon zien liggen. Hierboven was maar weinig geluid te horen en het gevoel uit het trappenhuis streek weer zachtjes door mijn hoofd. Het was alsof ik aan het hoofd van de wereld stond. De plaats, de tijd, de dag, het was schitterend en ik was zo blij dat John me ernaartoe had meegenomen.

Ik knuffelde zijn arm en kuste hem op zijn wang, hij glimlachte en stralend van voldoening bleef hij naar het uitzicht kijken.

Na de klim omhoog en het uitzicht over de hele wereld vanaf de top en de nog langere afdaling, duizelde het ons natuurlijk een beetje. John vertelde dat hij aangeboden had om Dummy in huis te nemen omdat Jane hem niet naar Spanje mee kon nemen.

Als dichter, zei hij, was hij heel alert op bepaalde dingen, zoals toevallige gebeurtenissen, omdat zijn werk draaide om metafysica en het toeval dat hij de verzorging van een hond die Dummy heette op zich moest nemen op de nacht dat het ene jaar in het andere was overgegaan, gaf hem het gevoel dat deze gebeurtenis het terrein vrijmaakte voor de dingen die de rest van het jaar nog zouden komen.

Het feit dat Dummy Dummy heette, was een beetje een zorgwekkend voorteken omdat hij dit jaar absoluut niet van plan was een dummy te worden.

Ik stond perplex dat hij zo veel onzin uitkraamde.

Ik snapte amper wat hij bedoelde.

Toen ik eindelijk begreep dat hij dacht dat hij zelf zijn verstand zou verliezen, omdat hij op oudejaarsavond een hond had gekregen die Dummy heette, barstte ik in schaterlachen uit.

Ik lachte zo hard dat ik aan het begin van onze straat bijna van de oversteekbrug viel.

Plotseling viel John helemaal stil.

Hij was een heel zachtaardig mens, altijd vriendelijk voor iedereen, maar ik had nooit echt hoogte van hem gekregen. Ik wist dat hij gedichten schreef en dat er veel waren uitgegeven, maar behalve die over Vinny en Arie had ik ze nooit echt gelezen. Door de kinderen en mijn problemen had ik er nooit erg in gehad hoezeer ik op hem en zijn goede raad en steun was gaan rekenen, maar het was wel zo. Hij was zo lief voor me geweest en nu had ik hem gekwetst met mijn gelach. Hij bleef ietsje achter me lopen en uiteindelijk bleef hij helemaal stilstaan en riep mijn naam, Mandy.

We stonden pal voor ons huis.

Ik draaide me om en zag zijn lange, slungelige gestalte een paar meter verderop en zijn donkerblonde piekende haar dat in de verse ochtendbries om zijn hoofd zwiepte.

Hij had een beetje een glazige blik in zijn zachtmoedige bruine ogen en zijn neus en wangen bloosden van de kou.

Als hij vroeg of ik met hem uit wilde, zou ik dan 'ja' zeggen?

Opnieuw stond ik even versteld van zijn woorden omdat ik wist wat die betekenden, maar niet begreep waarom hij het vroeg.

We waren nu toch net samen uit geweest, en daarvoor ook al zo vaak?

Hij beantwoordde de verwarde blik in mijn gezicht door te zeggen dat hij een afspraakje bedoelde, een echte afspraak, zoals mensen met elkaar maken als ze uiting willen geven aan een intiemer soort vriendschap.

Ik liep naar de deur, stak de sleutels in het slot en zei hem dat hij het me dat morgen maar opnieuw moest vragen, als ik het woord metafysica had opgezocht in het woordenboek, en samen gingen we naar binnen.